MAGRITTE

KOMPAKT

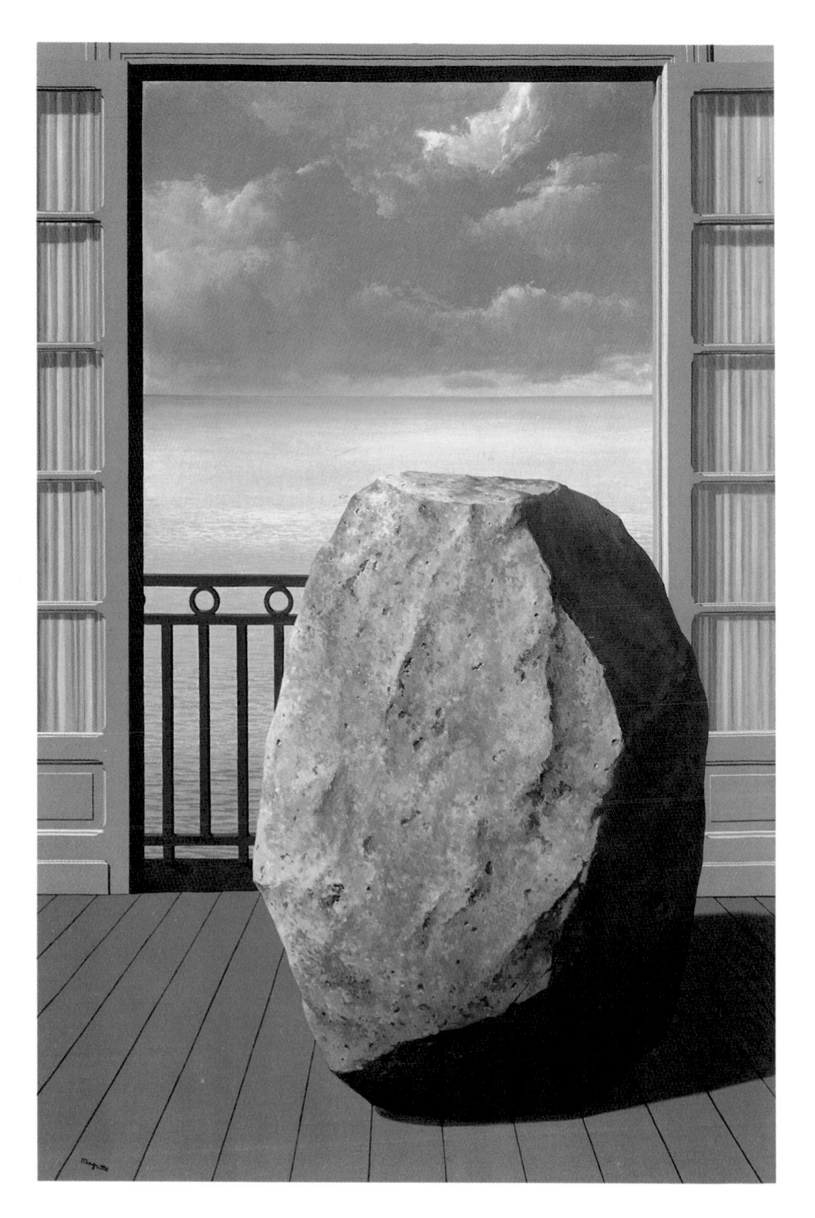
Magritte

MAGRITTE
KOMPAKT

Vorwort von *Robert Hughes*

Belser Verlag
Stuttgart

Magritte starb 1967 im Alter von 68 Jahren, aber sein Werk spricht weiterhin eher sein modernes Publikum an als es die Größen der viktorianischen akademischen Malerei wie Frith, Poynter und Alma-Tadema ein Jahrhundert zuvor als Erzähler taten. Mit Schöpfern von Mythen – von Picasso bis Barnett Newman – war die moderne Kunst gut versorgt, doch es gab wenige Meister mit erzählerischem Impuls, und Magritte, ein untersetzter, wortkarger Belgier, war ihr führender Fabulant. Seine Bilder waren in erster Linie Geschichten und erst in zweiter Linie formale Gestaltung; aber diese Geschichten waren nicht Erzählungen in der viktorianischen Manier, Berichte aus dem Leben oder Historienbilder. Sie waren Momentaufnahmen des Unmöglichen in einer sehr distanzierten und nüchternen Art und Weise, Vignetten der wechselseitigen Verbindung und Aufhebung von Sprache und Realität. Niemand kam Magritte als Meister gemalter Rätsel gleich, und obwohl er großen Einfluss auf die Entstehung von Bildern (und deren Entschlüsselung durch das Publikum) hatte, fand er keine wirklichen Nachfolger.

Erst spät fanden sein Leben, seine Persönlichkeit und seine Kunst eine angemessene Würdigung. Inmitten einer Bewegung, des Surrealismus, die sich auf Aufsehen erregende Aktionen, auf politische Provokationen, Sexskandale und hitzige religiöse Krisen spezialisierte, wirkte Magritte – neben Max Ernst und Salvador Dalí, dem besten surrealistischen Maler – völlig phlegmatisch und stur. Er lebte in Brüssel und nicht in Paris; er war sein Leben lang mit derselben Frau, Georgette Berger, verheiratet; gemessen an den Normen der surrealistischen Boheme und dem surrealistischen Schick hätte er genauso gut Lebensmittelhändler gewesen sein können.

Es war merkwürdig, dass er als Künstler so wenig natürliche Gewandtheit und Geschmack besaß. Magrittes Gemälde aus den frühen 1920er-Jahren sind peinlich schlechter, illustrativer Kubismus – so unbeholfen in ihrer Art wie die kubistischen Übungen eines anderen großen Ideenentwicklers der Moderne, Marcel Duchamp. Er besaß einen mangelhaften Sinn für Farbe, und seine Zeichnung war unselbstständig. Die Bildfläche ist so tot wie ein alter Fingernagel. Der Tiefpunkt seiner Karriere kam in den 1940er-Jahren, als er sich in einer Anwandlung von Verwirrung entschloss, auf die Präzision, die er mit so viel Eifer kultiviert hatte, zu verzichten und »moderne Kunst« zu schaffen – Bilder in impressionistischer Lockerheit und expressionistischer Kompaktheit. Diese beliebige Konfektionsware ist, wenn überhaupt, noch weniger verdaubar als Giorgio de Chiricos späte »klassische« Gemälde, und man hat Zweifel, ob selbst der zunehmende Sinn für postmodernen Revisionismus in der Lage sein wird, sie zu rehabilitieren. Wenn sie überhaupt etwas zeigen, dann wie stark Magrittes wirkliche Talente abseits von der regulären Entwicklung der Moderne lagen. Nicht einmal seine ersten Übungen im surrealistischen Stil von 1925/26 lassen den künftigen Künstler erkennen; sie sind überwiegend ein Sammelsurium von Motiven nach Max Ernst und De Chirico. Ein Bild wie *Les complices du magicien* (Die Komplizinnen des Magiers, 1926) mit seiner schwachen Zeichnung und seinen unentschiedenen Farbgebung ist nicht das Werk eines »Naturtalents«. Es enthält eine Idee, aber die Hand weiß noch nicht, was sie mit ihr anfangen soll.

Magrittes Wendepunkt war 1927, als er sich in Paris niederließ. Hier tauchte er in die Bewegung des Surrealismus ein und blieb nicht länger der Zuschauer aus der Provinz. Und er erkannte rasch, worin sein Beitrag liegen könnte: nicht in der

Verwertung von günstigen Gelegenheiten und Zufallseffekten, wie bei Masson oder Max Ernst, noch weniger in der Exotik und Neurotik wie bei Dalí, sondern in der halluzinatorischen Gewöhnlichkeit. Eine der Obsessionen des Surrealismus waren die weitgehend unerklärlichen Vorgänge, die sich im Alltagsleben ereigneten. Mit seiner nüchternen, prosaischen Technik malte Magritte Dinge von solcher Alltäglichkeit, dass sie einem Wörterbuch entnommen sein könnten: einen Apfel, einen Kamm, eine »Melone«, eine Wolke, einen Vogelkäfig, eine Straße mit sterilen Vorstadthäusern, einen Geschäftsmann in einem dunklen Mantel, einen sachlichen Akt. Dieses Repertoire an Bildern enthielt wenig, was nicht einem durchschnittlichen belgischen Beamten im Verlauf eines gewöhnlichen Tages 1935 begegnet sein könnte. Doch Magrittes Kombinationen waren etwas völlig anderes. Seine Poesie war undenkbar ohne die Banalität, die sich in ihr auswirkte und sie durchdrang: Sie untergrub die gewöhnliche Benennung.

Das Glas in *La Corde sensible* (Die sensible Saite, 1960) ist ein gewöhnliches Glas, und die in ihm ruhende Wolke eine gewöhnliche Wolke; fesselnd ist ihr Zusammentreffen in dieser blauen, mit unendlicher Sorgfalt erzeugten Durchsichtigkeit. Magrittes beste Bilder haben anscheinend mehr mit Berichten zu tun als mit Fantasie, dank der Alltäglichkeit ihrer Ingredentien. *La Condition humaine* (So lebt der Mensch, 1933), eines aus dem halben Dutzend seiner berühmtesten Gemälde, zeigt vor einem Fenster eine Staffelei; und das Landschaftsbild darauf scheint mit dem verdeckten Ausblick übereinzustimmen, sodass das Spiel zwischen »Bild« und »Realität« innerhalb der Fiktion von Magrittes Gemälde behauptet, die reale Welt sei nur eine gedankliche Konstruktion. Würde die Widersprüchlichkeit des Gemäldes noch gesteigert, wenn der Schauplatz exotisch wäre? Natürlich nicht, denn solche Paradoxe ergeben sich aus dem realen Leben. Zu diesem Kontext gehörte die gebräuchliche Bildwelt der Medien; Magritte fand reiche Quellen in Stummfilmen (er hatte ein Faible für die populäre Fantômas-Serie, deren athletischer, mysteriöser Held amerikanische Figuren wie Batman vorausnahm), in der Pantomime und in den Wachsfigurendarstellungen des Musée Grevin.

Magritte schuf einige der beunruhigendsten Bilder der Entfremdung und Furcht in der modernen Kunst. Es gibt keine kältere Ikone frustrierter Sexualität als *Les Amants* (Die Liebenden, 1928) mit zwei in graue Tücher gehüllten Köpfen, die sich küssen. Es gibt auch nicht viele Bilder, die das Pathos des Fetischismus – ein symbolischer Teil ersetzt das ersehnte Ganze – auf den Punkt bringen so wie *In memoriam Mack Sennett* (1936): In einem Schrank hängt das Negligé einer Frau mit einsam leuchtenden Brüsten. Und auf der Suche nach Panik braucht man nicht weiter zu gehen als bis zu Magrittes *Chasseurs au bord de la nuit* (Die Jäger bei Einbruch der Nacht, 1928) mit seinen beiden stämmigen, bewaffneten und gestiefelten *chasseurs*, die sich krümmen, weil sie in Furcht auf einen leeren Horizont blicken. Wir sehen ihre Furcht, aber unerwarteterweise nicht, was sie in Angst versetzt.

Wenn sich Magrittes Kunst darauf beschränkt hätte, zu schockieren, wäre sie so kurzlebig gewesen wie andere surrealistische Eintagsfliegen. Doch seine Interessen waren tiefgründiger. Sie bezogen sich auf die Sprache, auf den Weg, auf dem Symbole Bedeutungen schaffen oder vereiteln. Sein Manifest dazu war sein berühmtes Gemälde mit dem Bild einer Pfeife und der Inschrift: *Ceci n'est pas une pipe* (Dies ist keine Pfeife). Das heißt: Dies ist ein Gemälde, ein Kunstwerk, ein Zeichen, das einen Gegenstand bedeutet, aber dieser nicht ist. Kein Maler hatte je zuvor diese fundamentale Tatsache der Kunst und ihrer Wirkung so klar ausgedrückt. Als Magritte in *L'Usage de la parole* (Der Gebrauch der Rede, 1928) zwei faktisch identische, amorphe Farbkleckse mit *miroir* (Spiegel) und *corps de femme* (Frauenkörper) bezeichnete, machte er keinen Scherz über Narzissmus; er zeigte die extreme Beliebigkeit, die die Sprache manchmal hat beim Zugriff auf Dinge, die sie zu beschreiben vorgibt. Dieser Sinn für den Spielraum zwischen Wort und Ding war eine der Quellen des modernen Unbehagens. Als Magritte hierfür Bild um Bild erfand, wurde er zu einem der Künstler, deren Werk für das Verständnis der modernen Kultur notwendig ist.

Seine optischen Sprengsätze schärfen und entschärfen sich selbst und dies immer wieder aufs Neue – »Gotcha!« hören wir ihn raunen –, denn ihr Zünder ist selbst nur ein Gedanke.

—ROBERT HUGHES

Nach dem Wasser, die Wolken *À la suite de l'eau, les nuages* • 1926
Kunsthaus Zürich, Schenkung Walter Haefner

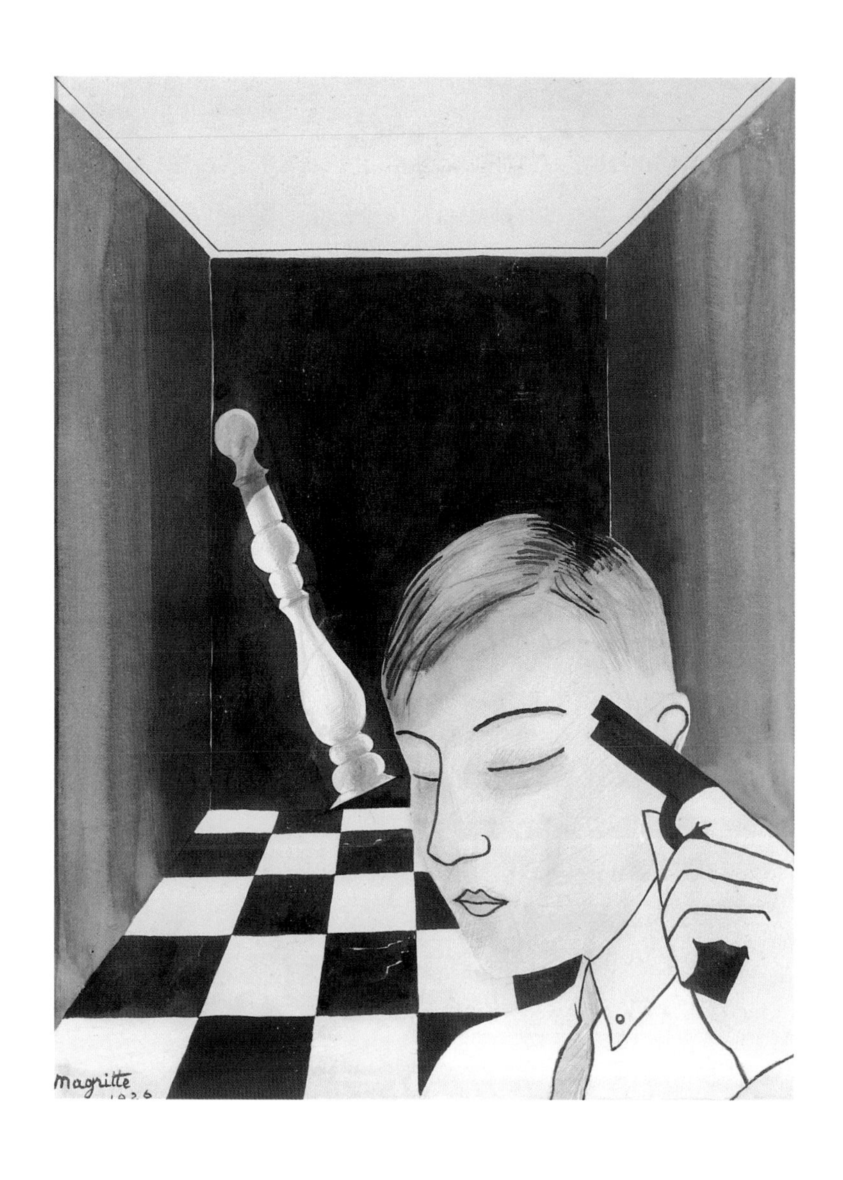
magritte

Schach und Matt *Échec et mat* • 1926

Privatbesitz

Er spricht nicht *Il ne parle pas* • 1926
Privatbesitz

Das Zeitalter der Wunder *L'Âge des merveilles* • 1926
Privatbesitz

Der berühmte Mann *L'Homme célèbre* • 1926
Sammlung ZAN, São Paulo

Das Katapult der Wüste *La Catapulte du désert* • 1926
Privatbesitz

Die große Neuigkeit *La Grande Nouvelle* • 1926
Privatbesitz

Die Geburt des Idols *La Naissance de l'idole* • 1926
Sammlung Louise & Bernard Lamarre

Die schwierige Überfahrt *La Traversée difficile* • 1926
Privatbesitz

Der Eroberer *Le Conquérant* • 1926
Sammlung Leslee & David Rogath

Die versilberte Kluft *Le Gouffre argenté* • 1926
Privatbesitz

Der Meister der Vergnügungen *Le Maître du plaisir* • 1926
Marlborough International Fine Art

Magritte

Die Mitternachtshochzeit *Le Mariage de minuit* • 1926
Musées Royaux des Beaux-Arts de Belgique, Brüssel

Magritte

Die Schwelle des Waldes *Le Seuil de la forêt* • 1926
Privatbesitz

Die Komplizinnen des Magiers *Les Complices du magicien* • 1926
Privatbesitz

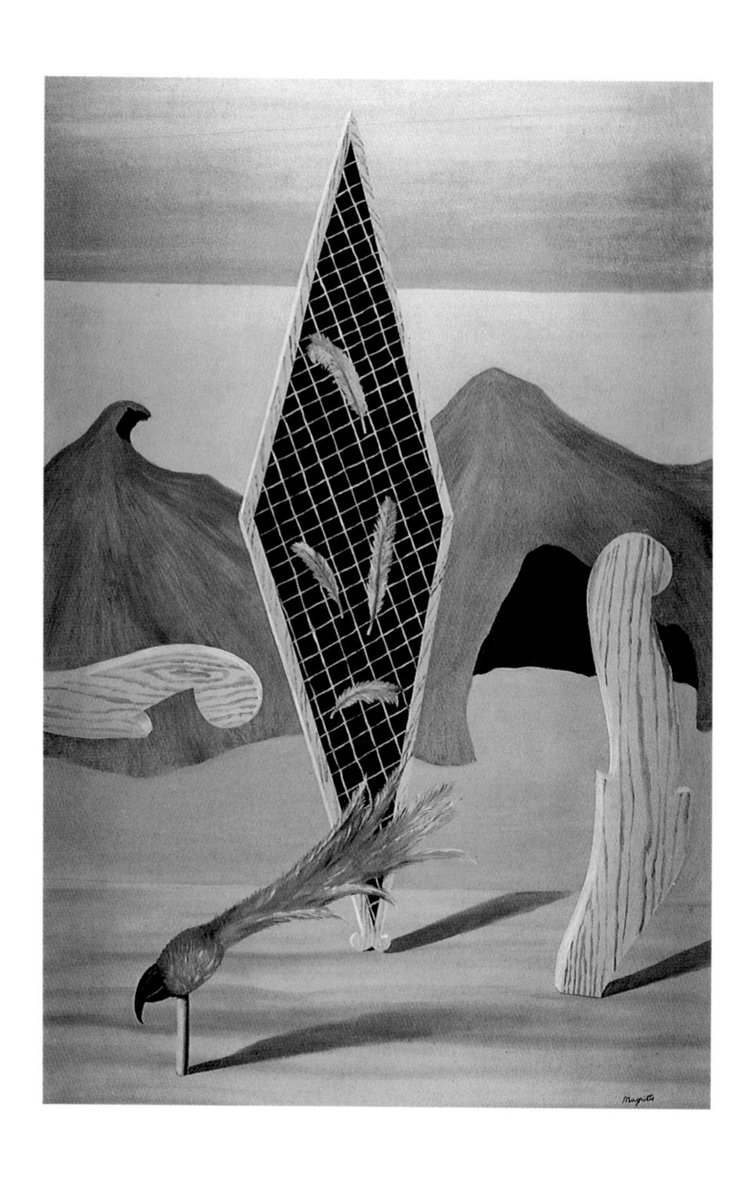

Die Bruchstücke des Schattens *Les Épaves de l'ombre* • 1926
Musée de Grenoble

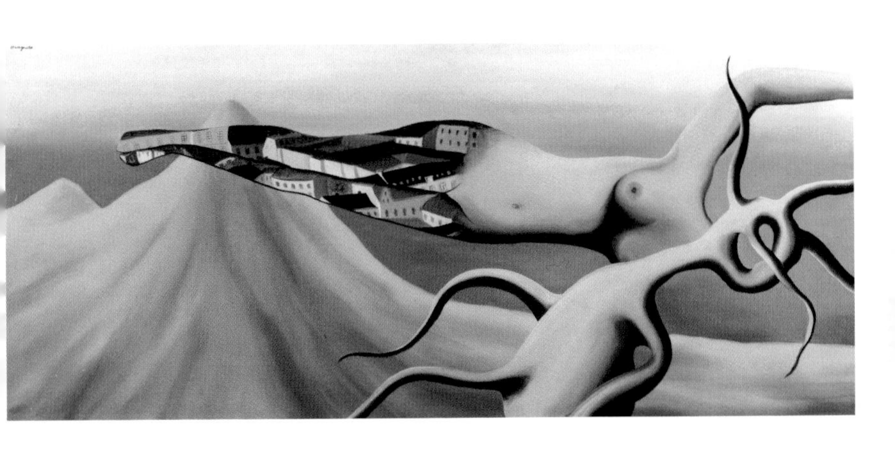

Die großen Reisen *Les Grands Voyages* • 1926
Privatbesitz

Die Flussbewohnerinnen *Les Habitantes du fleuve* • 1926
Privatbesitz

Magritte

Die Träumereien eines einsamen Spaziergängers *Les Rêveries du promeneur solitaire* • 1926
Privatbesitz

Beliebtes Panorama *Panorama populaire* • 1926
Privatbesitz

Porträt von Georgette Magritte *Portrait de Georgette Magritte* • 1926
Musée National d'Art Moderne, Centre Georges Pompidou, Paris

Magritte

Studententraum *Rêve d'étudiant* • 1926
Privatbesitz

Ohne Titel *Sans titre* • 1926
Privatbesitz

[Porträt von Paul Max] *[Portrait de Paul Max]* • 1926
Kunsthandel Den Tijd, Antwerpen

Die Heimsuchung des Schlafes *L'Épreuve du sommeil* • 1926–1927
Museo Civico, Biella

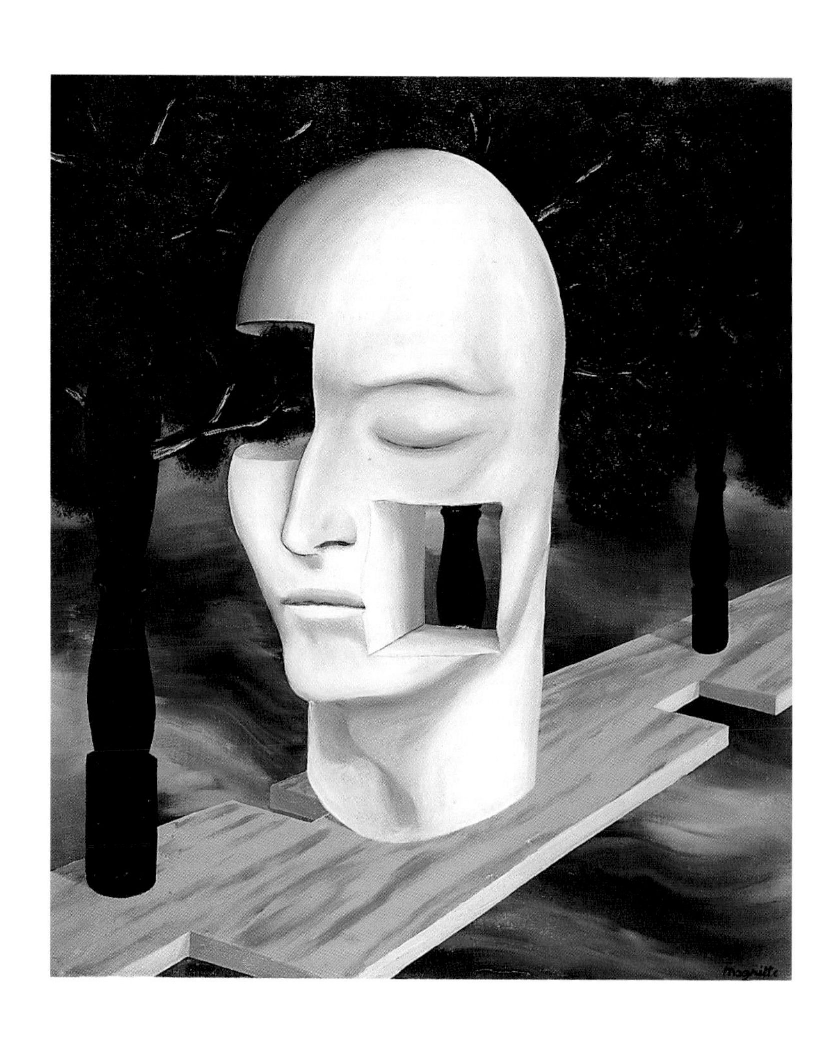
magritte

Das Gesicht des Genies *Le Visage du génie* • 1926–1927
Musée d'Ixelles, Brüssel

Land *Campagne* • 1927
Communauté française de Belgique

Magritte

Entdeckung *Découverte* • 1927
Musées Royaux des Beaux-Arts de Belgique, Brüssel,
Legat Irène Scutenaire-Hamoir

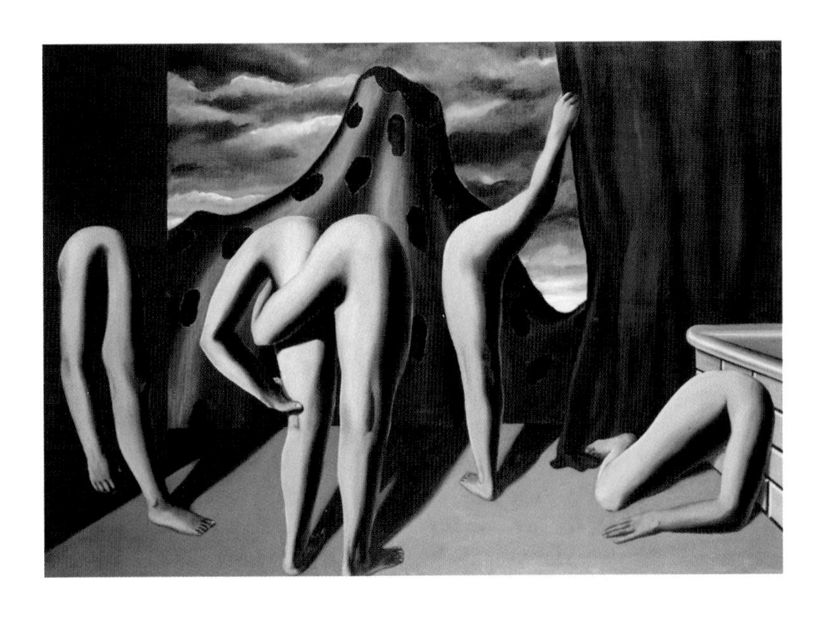

Zwischenspiel *Entr'acte* • 1927
Privatbesitz

Das vogelessende Mädchen (Das Vergnügen)

Jeune fille mangeant un oiseau (Le plaisir) • 1927

Kunstsammlung Nordrhein-Westfalen, Düsseldorf

Das Zeitalter des Feuers *L'Âge du feu* • 1927
Privatbesitz
> **Schulschluss** *La Sortie de l'école* • 1927
Privatbesitz

Magritte

Der Wald *La Forêt* • 1927
Musée de l'Art Wallon de la Ville de Liège

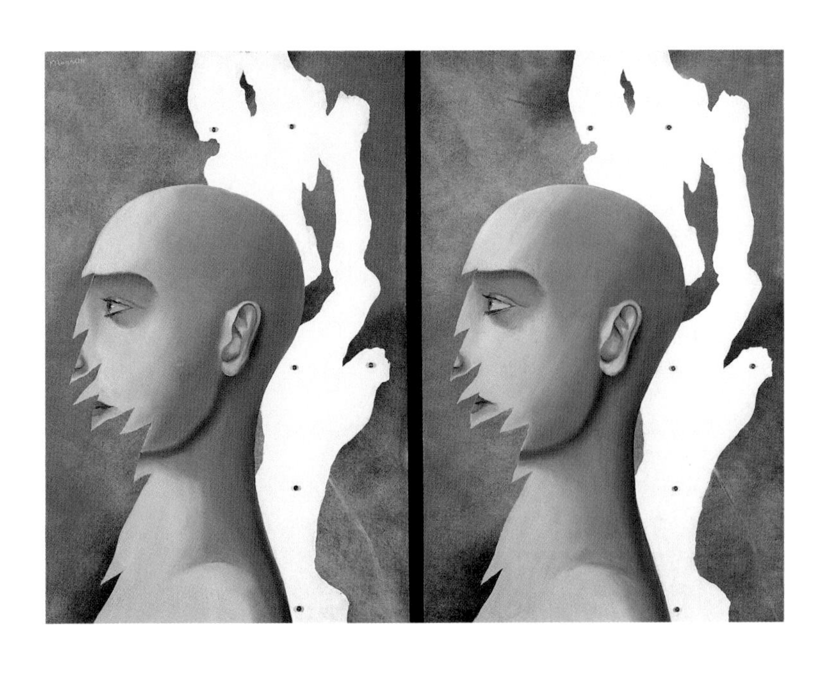

Das Ende der Betrachtungen *La Fin des contemplations* • 1927
The Menil Collection, Houston

magritte

Der Prinz der Objekte *Le Prince des objets* • 1927
Privatbesitz

Die Diebin *La Voleuse* • 1927

Musées Royaux des Beaux-Arts de Belgique, Brüssel, Legat Irène Scutenaire-Hamoir

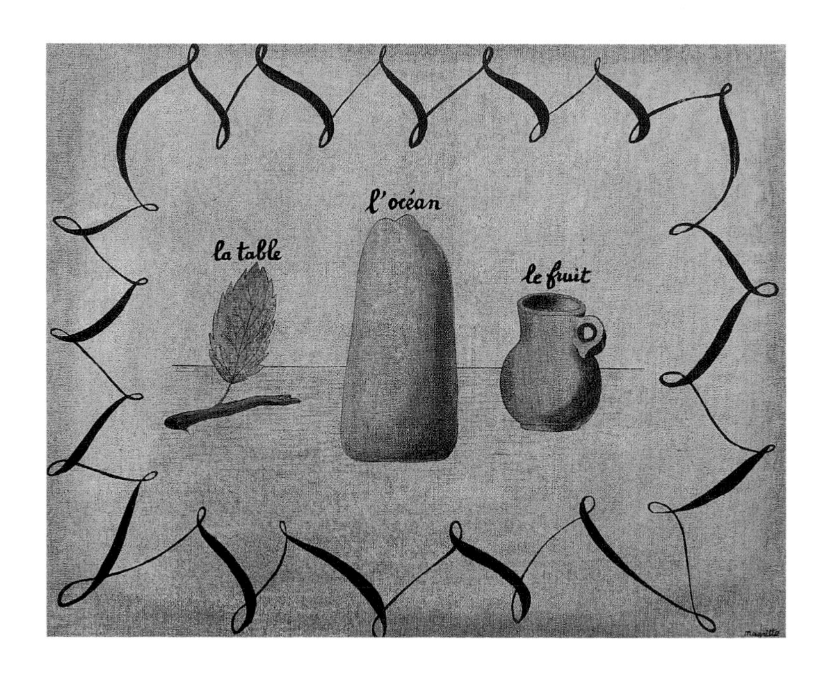
l'océan
la table
le fruit
magritte

Der Tisch, der Ozean und die Frucht *La Table, l'océan et le fruit* • 1927
Privatbesitz

Das Geheimnis der Wolken *Le Secret des nuages* • 1927
Privatbesitz

Magritte

Das Ende der Zeit *La Fin du temps* • 1927
Privatbesitz

Das Museum einer Nacht *Le Musée d'une nuit* • 1927
Privatbesitz

Die Frucht der Träume *Le Fruit des rêves* • 1927
Privatbesitz

Das Geheimnis des Trauerzuges *Le Secret du cortège* • 1927
Privatbesitz

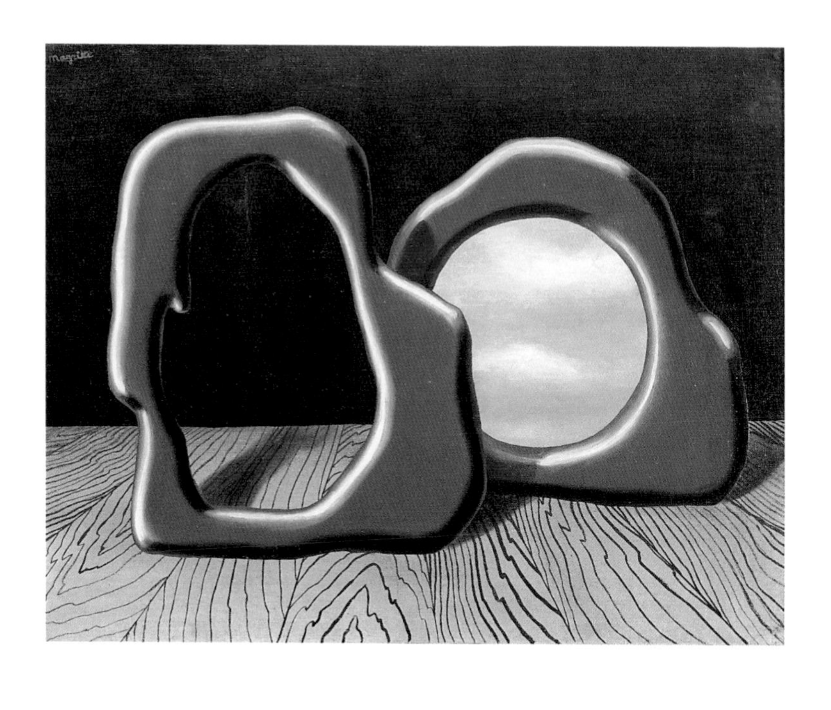

Der Lichtbrecher *Le Brise-lumière* • 1927
Privatbesitz

Die Marter der Vestalin *Le Supplice de la vestale* • 1927
Privatbesitz

Porträt von Paul Nougé *Portrait de Paul Nougé* • 1927
Musées Royaux des Beaux-Arts de Belgique, Brüssel,
Legat Irène Scutenaire-Hamoir

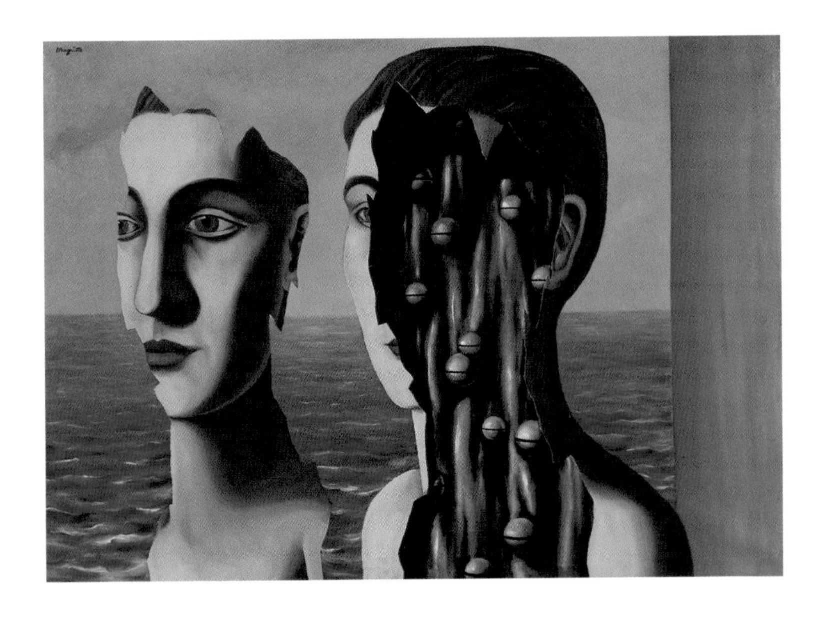

Der geheime Doppelgänger *Le Double secret* • 1927
Musée National d'Art Moderne, Centre Georges Pompidou, Paris

Der heimliche Spieler *Le Joueur secret* • 1927
Musées Royaux des Beaux-Arts de Belgique, Brüssel

Die himmlischen Muskeln *Les Muscles célestes* • 1927
Sammlung Brigitte & Véronique Salik

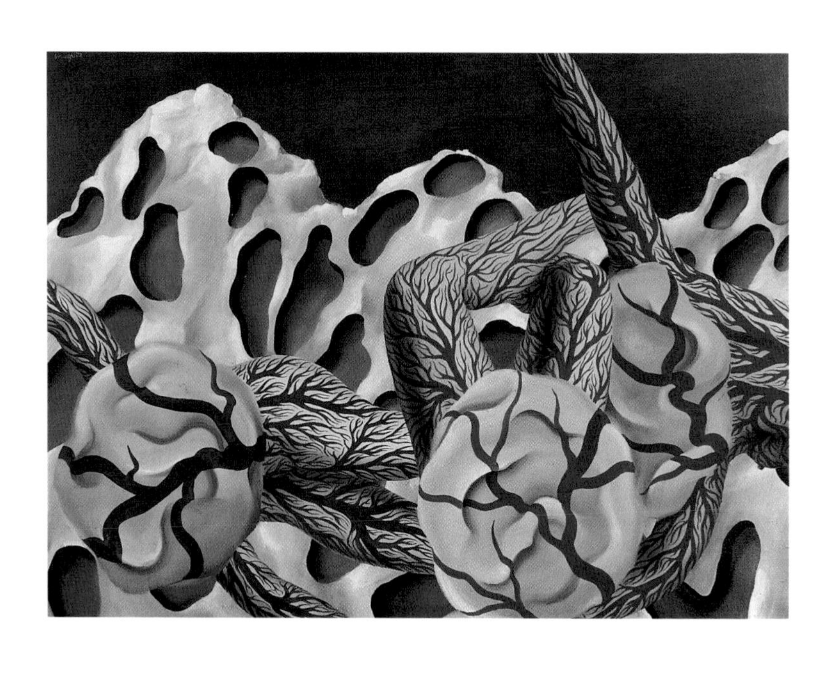

Das Blut der Welt *Le Sang du monde* • 1927
Privatbesitz

[Die Wundmale der Erinnerung] *[Les Cicatrices de la mémoire]* • 1927
Verbleib unbekannt

Die Kultur der Ideen *La Culture des idées* • 1927
Privatbesitz

Der mörderische Himmel *Le Ciel meurtrier* • 1927
Musée National d'Art Moderne, Centre Georges Pompidou, Paris

Der Mann des Meeres *L'Homme du large* • 1927
Musées Royaux des Beaux-Arts de Belgique, Brüssel

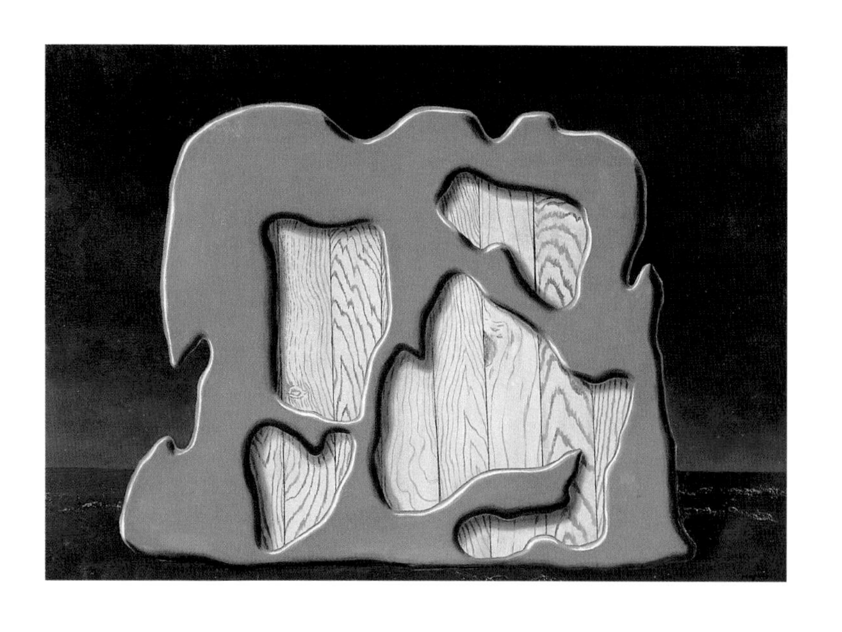

Der Dämon der Perversität *Le Démon de la perversité* • 1927
Musées Royaux des Beaux-Arts de Belgique, Brüssel

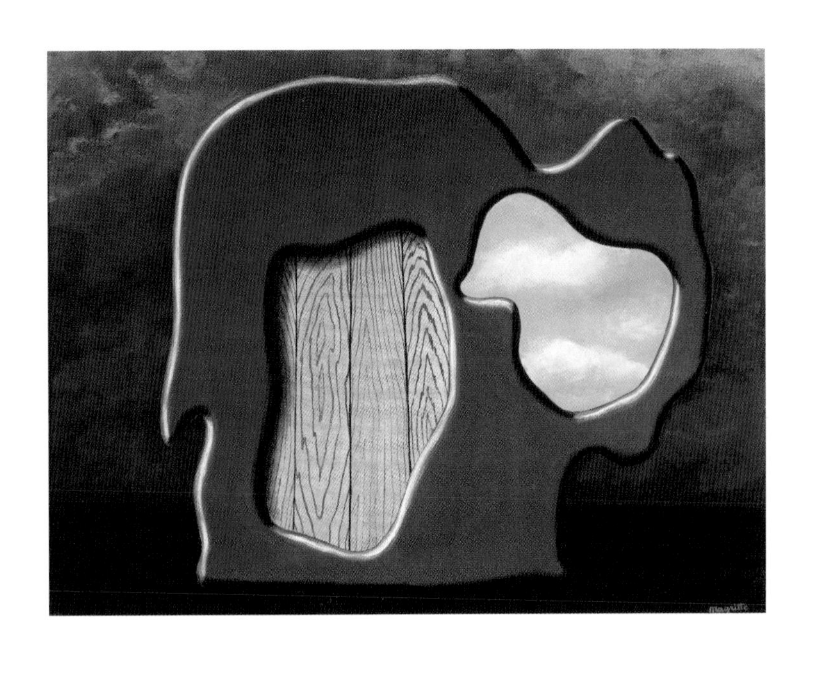

Die Reisesaison *La Saison des voyages* • 1927
Privatbesitz

Der Geschmack am Unsichtbaren *Le Goût de l'invisible* • 1927
Privatbesitz

magritte

Der Sinn der Nacht *Le Sens de la nuit* • 1927
The Menil Collection, Houston

Landschaft *Paysage* • 1927
Privatbesitz

Die Lebensmüdigkeit *La Fatigue de vivre* • 1927
Privatbesitz

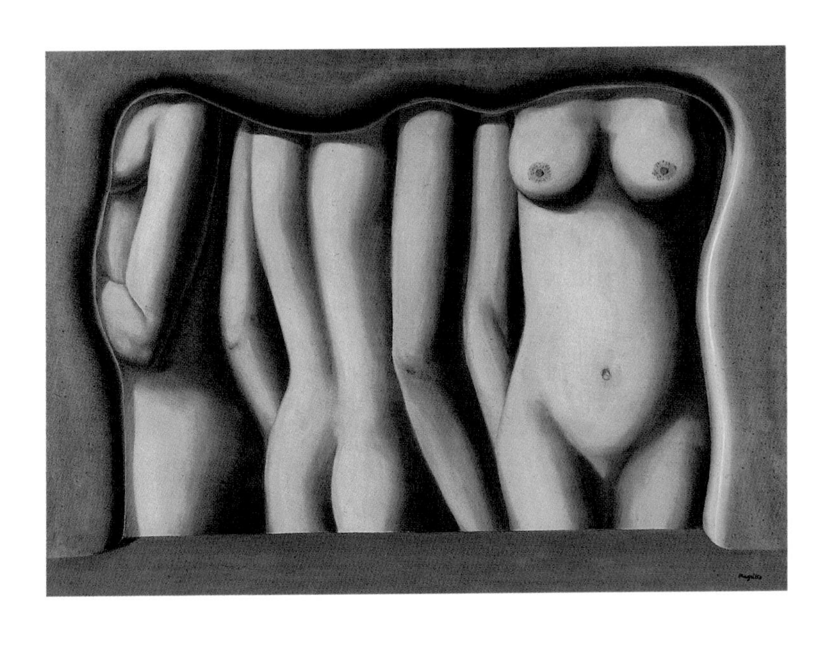

Das Lob des Raumes *L'Éloge de l'espace* • 1927–1928
Privatbesitz

Die verlorenen Blicke *Les Regards perdus* • 1927-1928
Privatbesitz

Die Ideen der Akrobatin *Les Idées de l'acrobate* • 1928
Bayerische Staatsgemäldesammlungen, Staatsgalerie Moderner Kunst, München

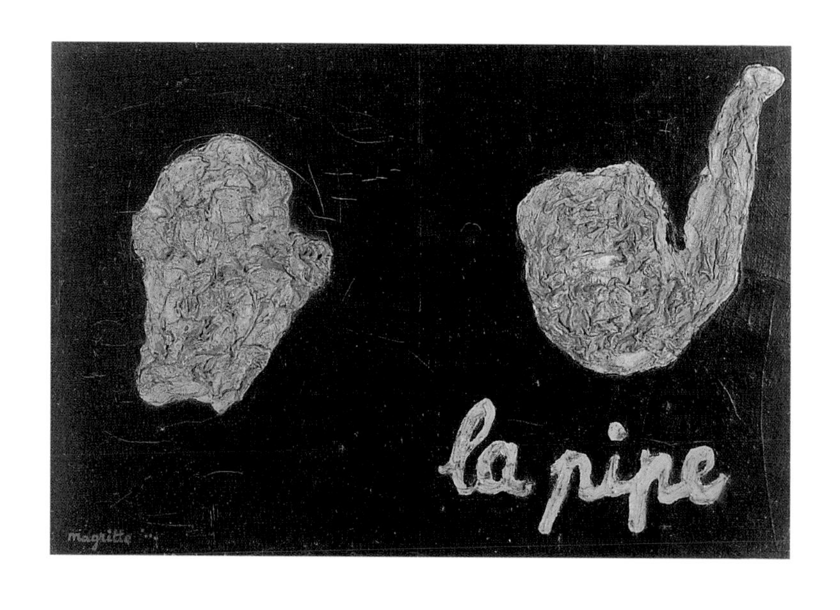
la pipe
magritte

Die Pfeife *La Pipe* • 1928

Privatbesitz

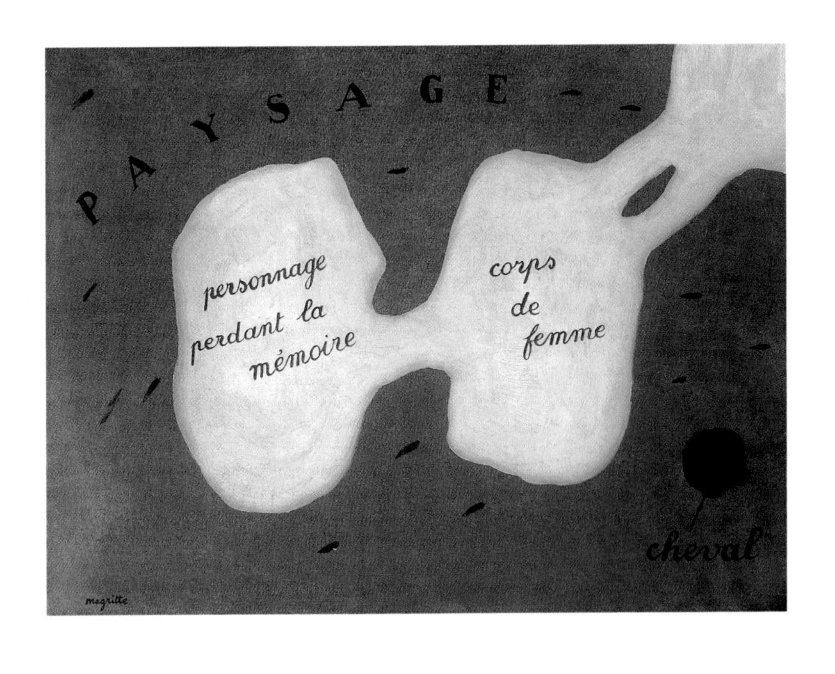
P A Y S A G E
personnage perdant la mémoire
corps de femme
cheval
magritte

Die verlorene Welt *Le Monde perdu* • 1928

Kunstmuseum Winterthur, Erwerbung des Kunstfonds

Der Palast aus Vorhängen *Le Palais de rideaux* • 1928
Privatbesitz

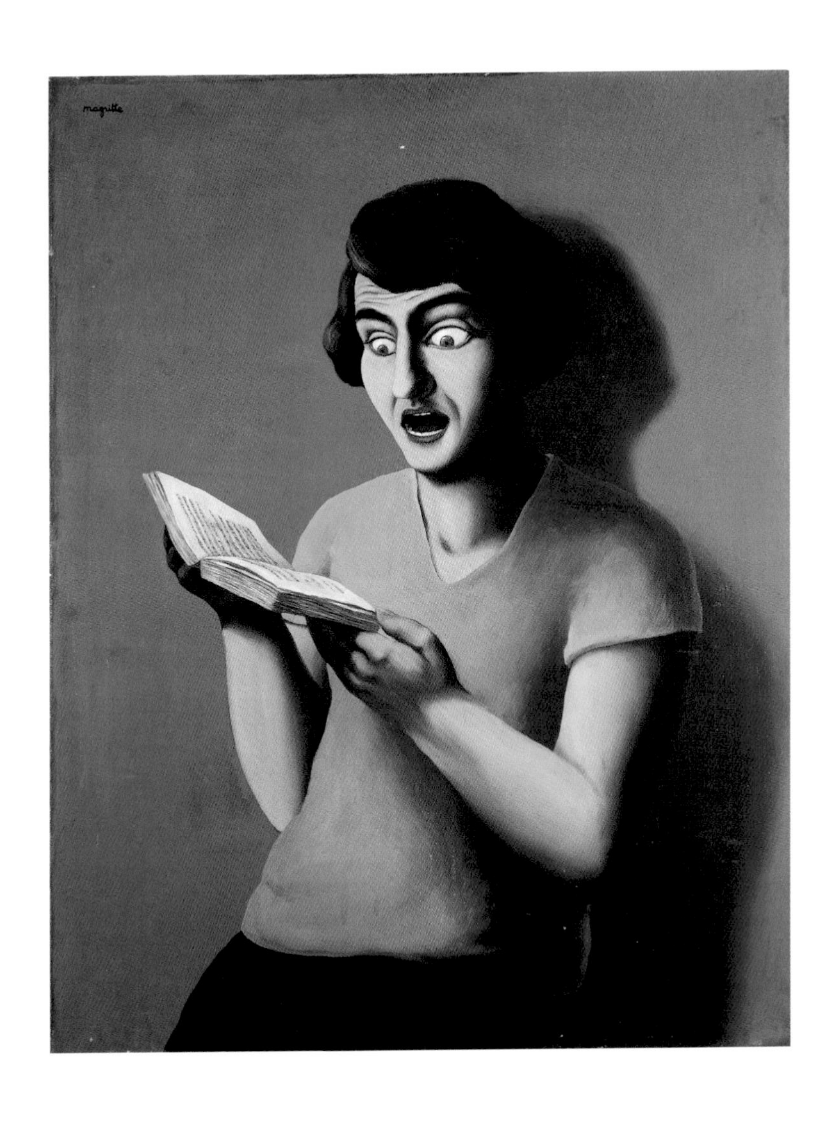
magritte

Die fügsame Leserin *La Lectrice soumise* • 1928
Privatbesitz

Die vertrauten Objekte *Les Objets familiers* • 1928
Privatbesitz

Das magische Licht *La Lumière magique* • 1928
Sammlung Leslee & David Rogath

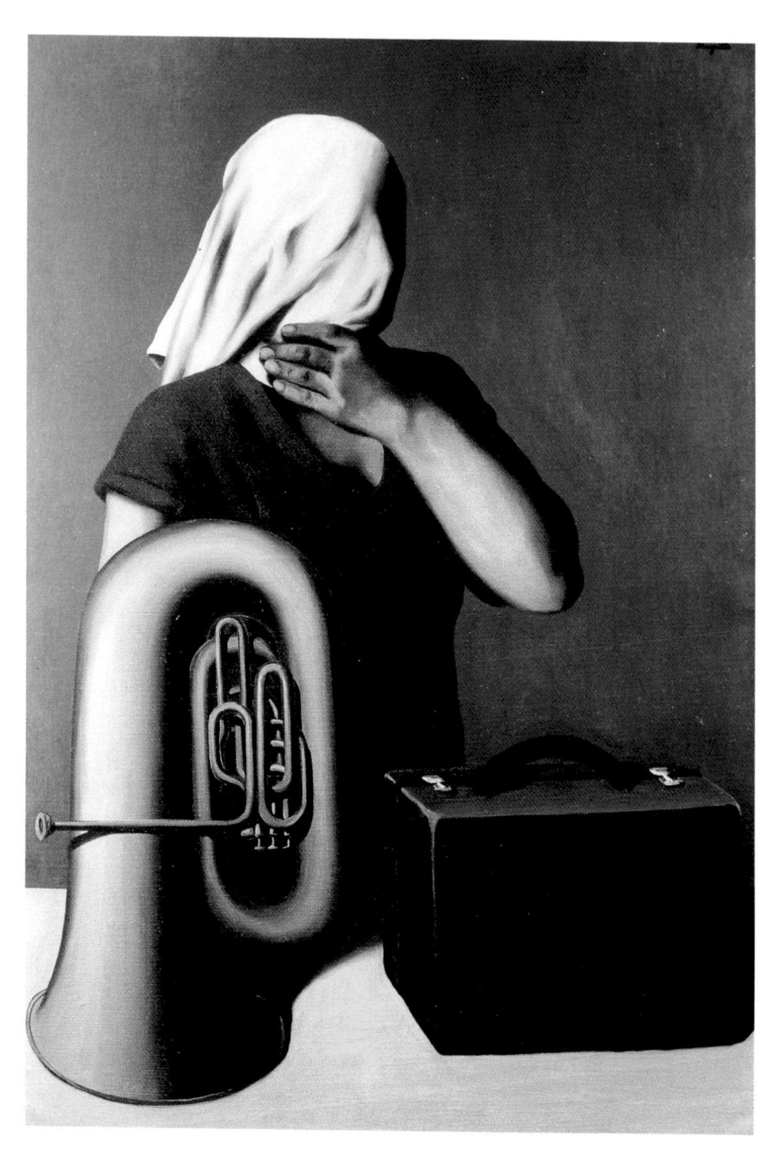

Die zentrale Geschichte *L'Histoire centrale* • 1928
Privatbesitz

Die symmetrische List *La Ruse symétrique* • 1928
Privatbesitz

Die Blumen des Abgrunds I *Les Fleurs de l'abîme I* • 1928
Privatbesitz

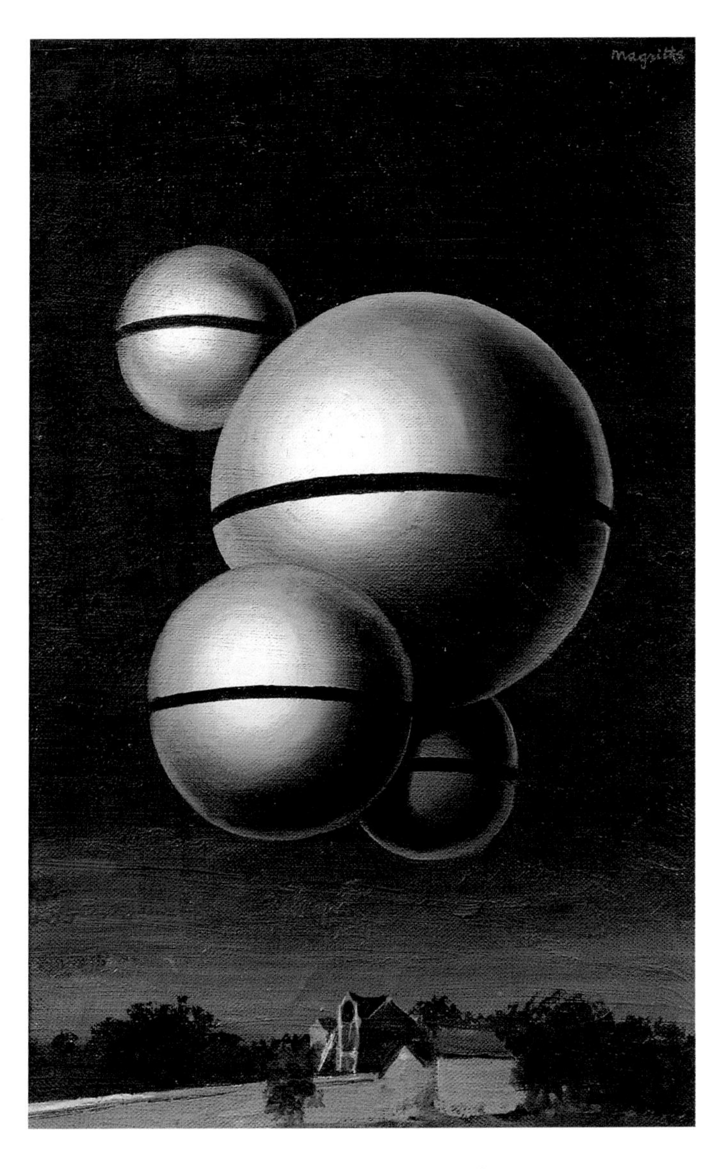
magritte

Die Blumen des Abgrunds II *Les Fleurs de l'abîme II* • 1928
Privatbesitz

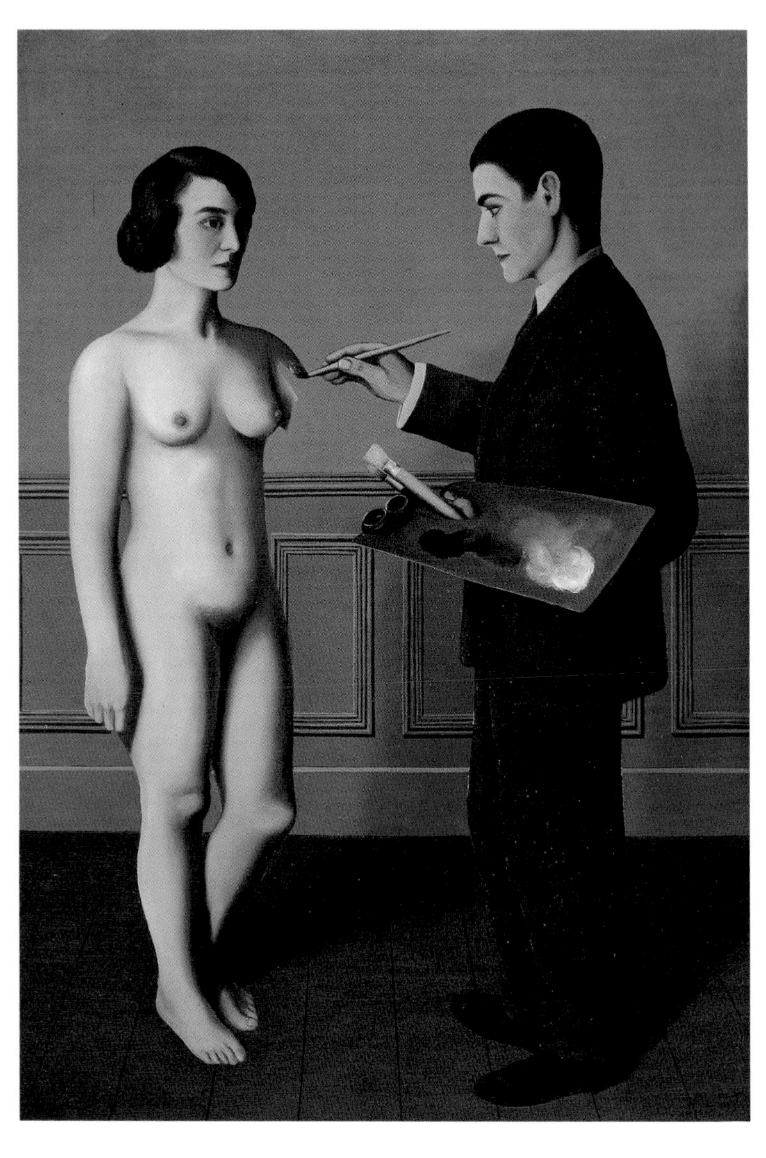

Versuch des Unmöglichen *Tentative de l'impossible* • 1928
Toyota Municipal Museum of Art, Toyota-shi

Die grüne Nacht *La Nuit verte* • 1928
Privatbesitz

nuage
fusil
horizon
fauteuil
cheval

Die Erscheinung *L'Apparition* • 1928
Württembergische Staatsgalerie, Stuttgart

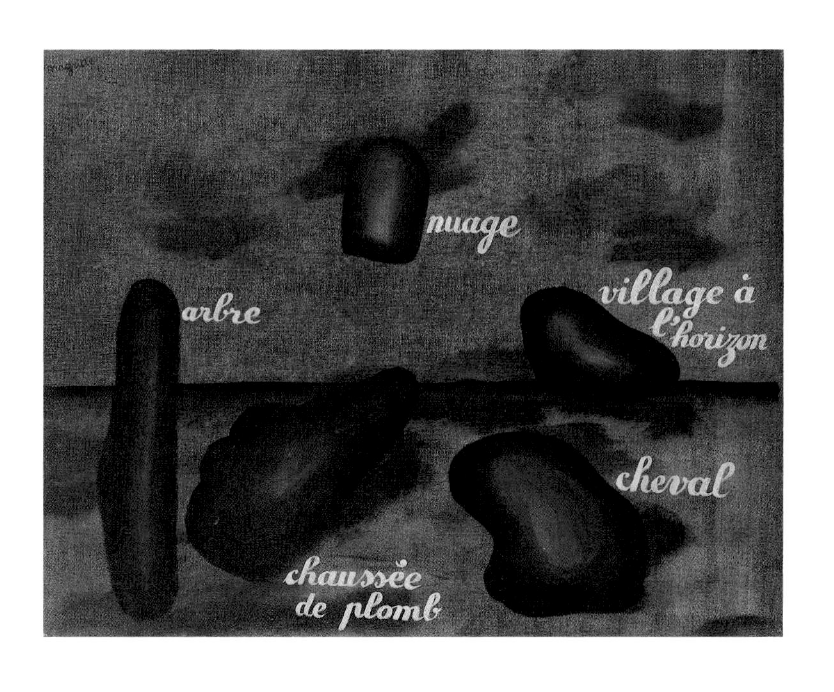
nuage
arbre
village à l'horizon
cheval
chaussée de plomb

Die rasche Hoffnung *L'Espoir rapide* • 1928
Kunsthalle, Hamburg

Die Liebenden *Les Amants* • 1928
Sammlung Richard S. Zeisler, New York

Magritte

Die Liebenden II *Les Amants II* • 1928
National Gallery of Australia, Canberra

Die Liebenden III *Les Amants III* • 1928
Privatbesitz

Die Liebenden IV *Les Amants IV* • 1928
Privatbesitz

Der Palast aus Vorhängen II *Le Palais de rideaux II* • 1928
Privatbesitz

miroir
corps
de femme
magritte

Der Gebrauch der Rede *L'Usage de la parole* • 1928

Sammlung Mis, Brüssel

> **Die fixe Idee** *L'Idée fixe* • 1928

Staatliche Museen zu Berlin – Preußischer Kulturbesitz, Nationalgalerie

magritte

Das geheime Leben *La Vie secrète* • 1928
Kunsthaus Zürich, Vereinigung Zürcher Kunstfreunde

Der Palast einer Kurtisane *Le Palais d'une courtisane* • 1928
The Menil Collection, Houston

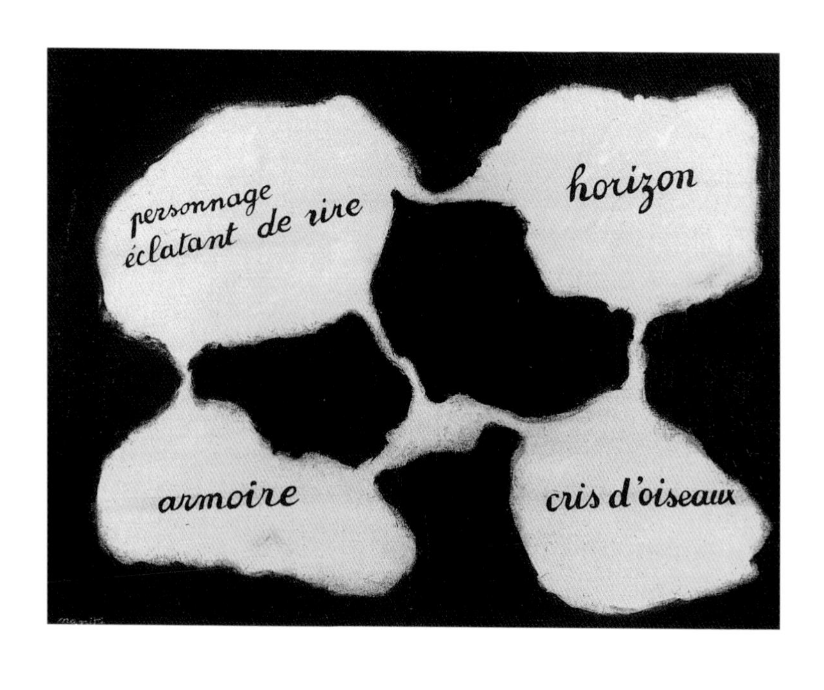
personnage
éclatant de rire
horizon
armoire
cris d'oiseaux

Der lebende Spiegel *Le Miroir vivant* • 1928
Privatbesitz

Die Stimme der Stille *La Voix du silence* • 1928

Sammlung Artemis Group

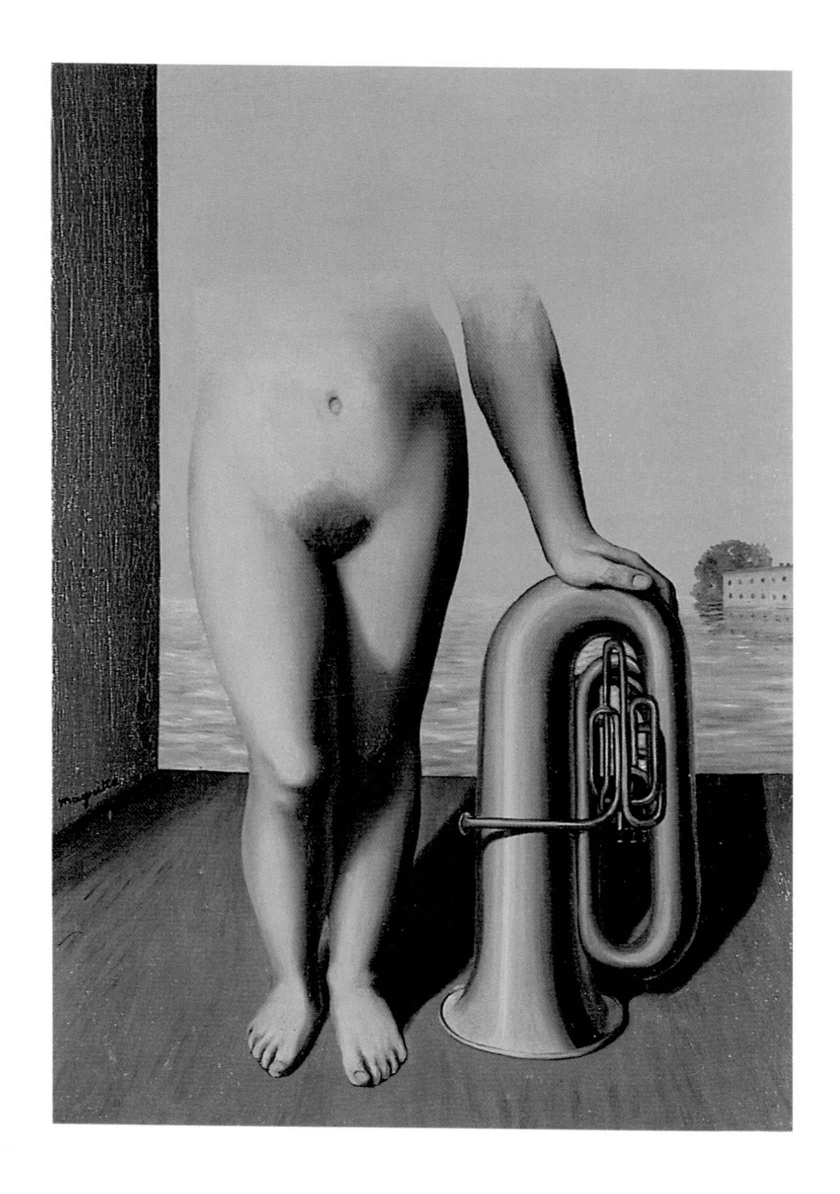

Die Überschwemmung *L'Inondation* • 1928
Dexia, Brüssel

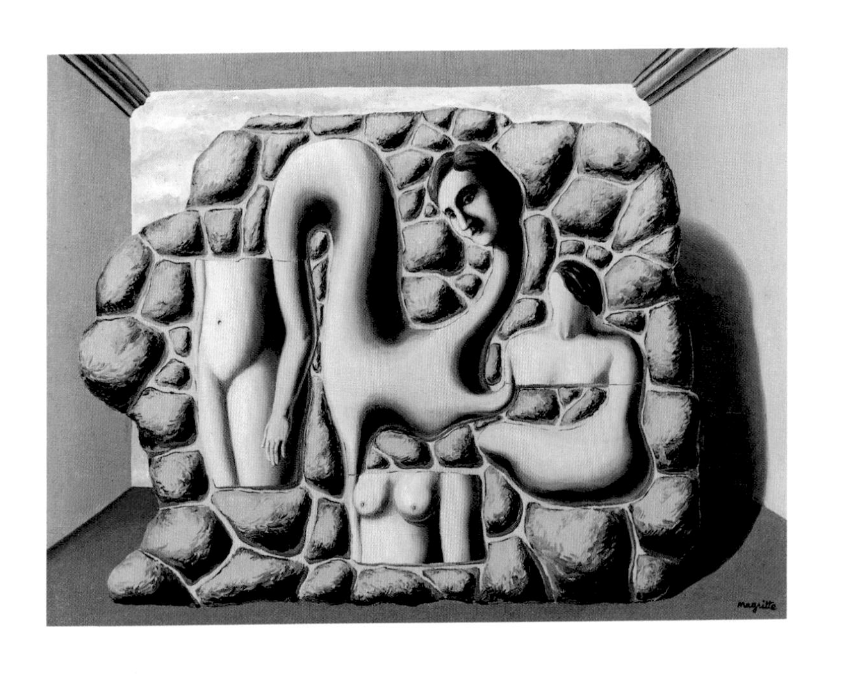
magritte

Die Ruhepause der Akrobatin *Le Repos de l'acrobate* • 1928
Privatbesitz

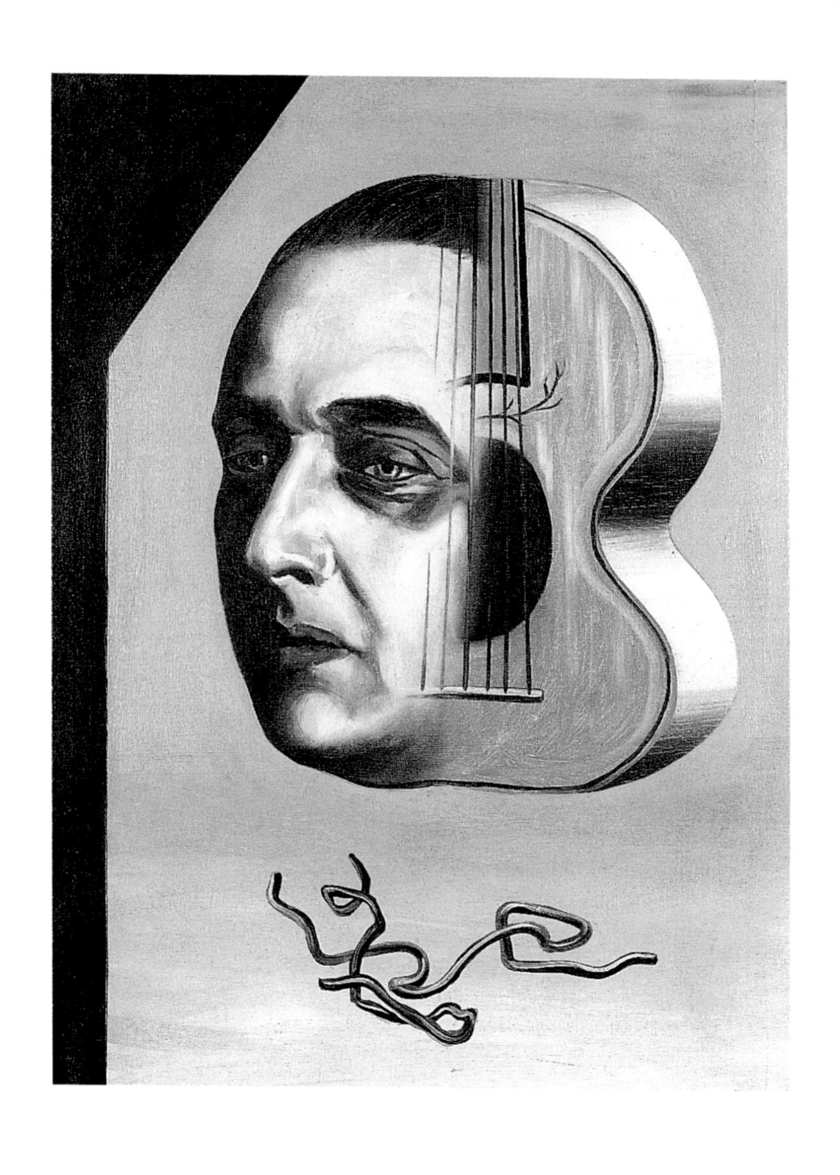

[Porträt von P.-G. Van Hecke] *[Portrait de P.-G. Van Hecke]* • 1928
Privatbesitz

ciel
corps humain
(ou forêt)
rideau
façade de
maison

Die leere Maske *Le Masque vide* • 1928
Sammlung Sylvio Perlstein, Antwerpen

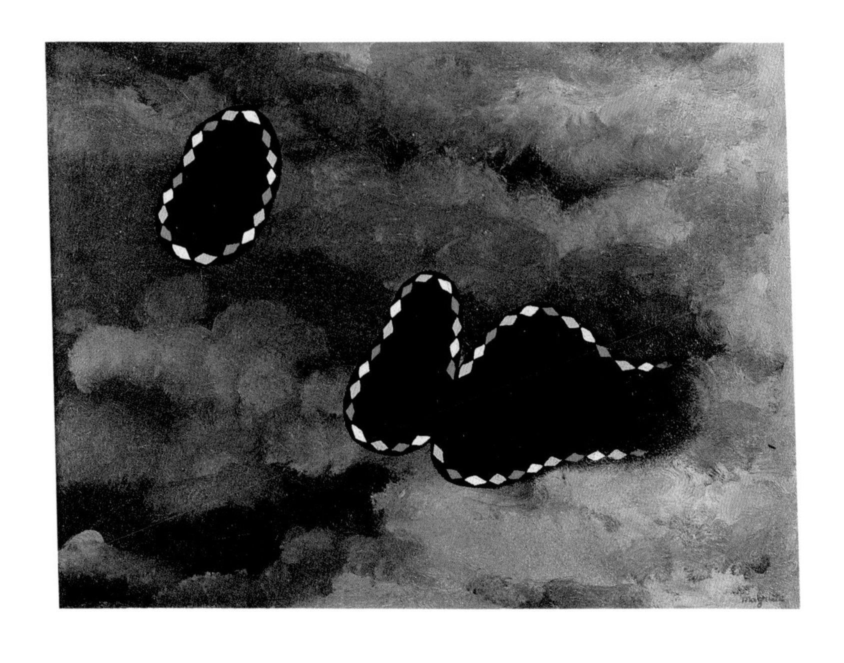

Die Erscheinung *L'Apparition* • 1928
Galerie Brusberg, Berlin

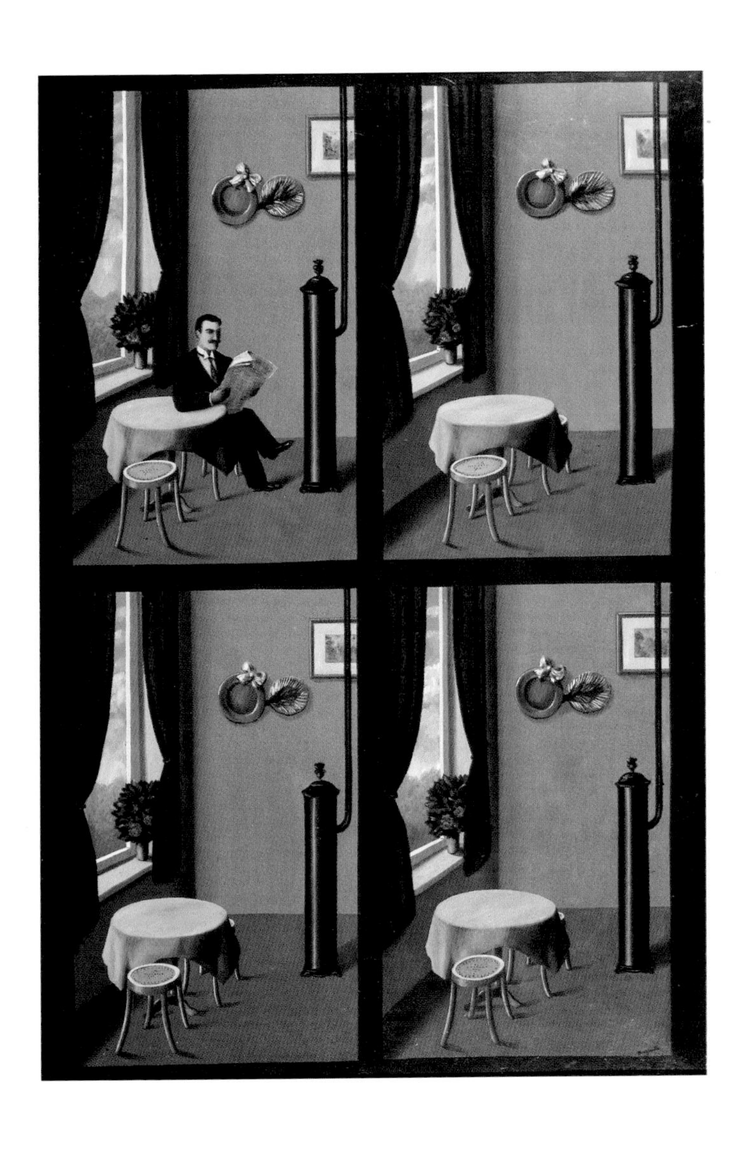

Der Mann mit der Zeitung *L'Homme au journal* • 1928
Tate Gallery, London, Schenkung »The Friends of the Tate Gallery«

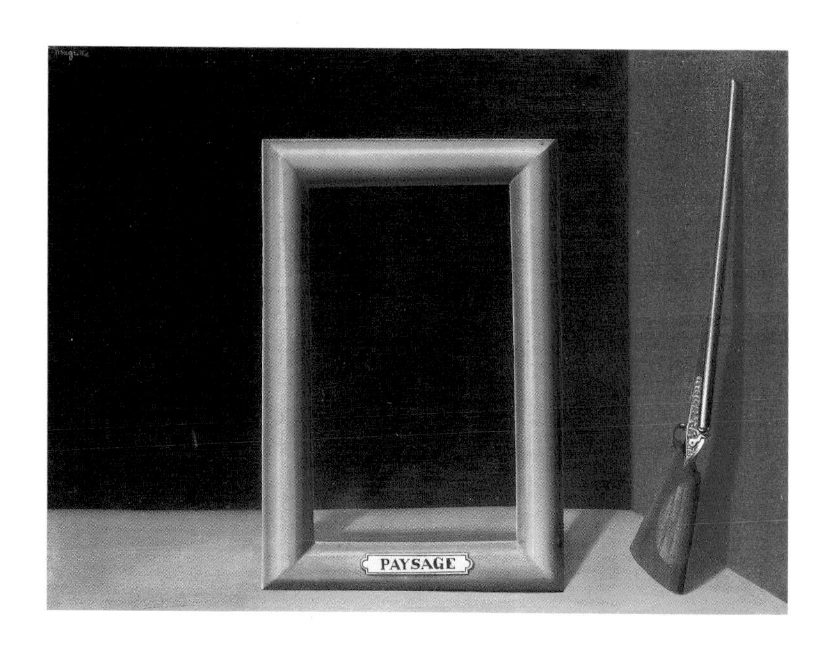
PAYSAGE

Die Reize der Landschaft *Les Charmes du paysage* • 1928
Privatbesitz

Der Späher *L'Espion* • 1928
Privatbesitz

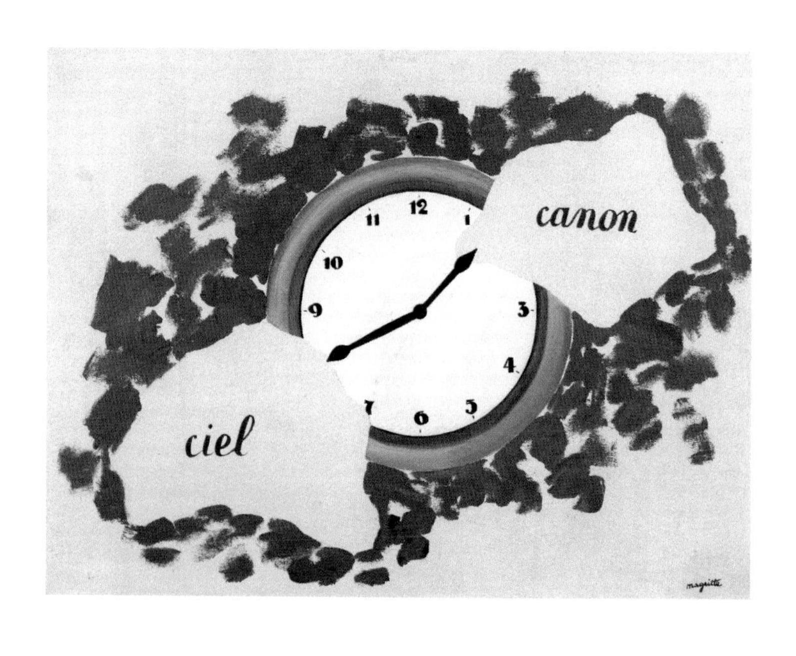
canon
ciel
magritte

Die Reflexe der Zeit *Les Reflets du temps* • 1928
Privatbesitz

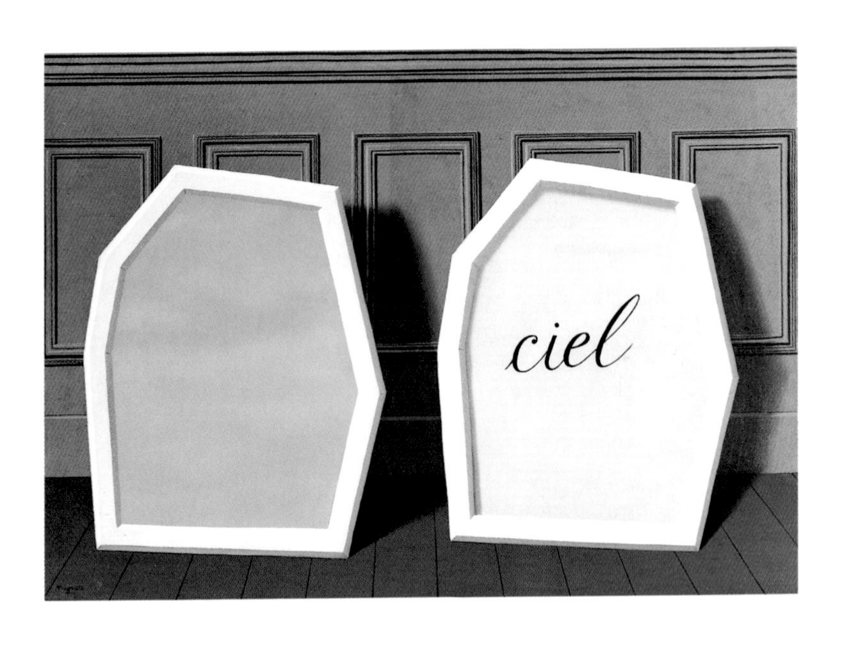
ciel

Der Palast aus Vorhängen III *Le Palais de rideaux III* • 1928–1929
The Museum of Modern Art, New York, The Sidney and Harriet Janis Collection

Magritte
sabre
cheval

Der Baum der Wissenschaft *L'Arbre de la science* • 1929
Privatbesitz

Das Alphabet der Enthüllungen *L'Alphabet des révélations* • 1929
The Menil Collection, Houston

Der Automat *L'Automate* • 1929
Privatbesitz

Magritte
canon
corps de
femme
arbre

Der Gebrauch der Rede *L'Usage de la parole* • 1929
Musées Royaux des Beaux-Arts de Belgique, Brüssel

je ne vois pas la
cachée dans la forêt
Magritte

Die verborgene Frau *La Femme cachée* • 1929
Privatbesitz

Magritte

Das geheime Leben *La Vie secrète* • 1929
Kunsthaus Zürich, Vereinigung Zürcher Kunstfreunde

Der falsche Spiegel *Le Faux Miroir* • 1929
The Museum of Modern Art, New York

salon
forêt

Die wahre Bedeutung II *Le Sens propre II* · 1929
The Menil Collection, Houston

femme
triste

Die wahre Bedeutung IV *Le Sens propre IV* • 1929

Robert Rauschenberg

Die wahre Bedeutung V *Le Sens propre V* • 1929
Privatbesitz

Corps de
femme

Die wahre Bedeutung VI *Le Sens propre VI* • 1929
Privatbesitz

Das drohende Wetter *Le Temps menaçant* • 1929
Scottish National Gallery of Modern Art, Edinburgh

Die sechs Elemente *Les Six éléments* • 1929
Philadelphia Museum of Art, The Louise and Walter Arensberg Collection

magritte

Wurst mit Helm *Saucisse casquée* • 1929
Dalvyn Gallery, New York
> **Die Preisgabe** *L'Abandon* • 1929
Privatbesitz

Magritte

canon

[Pflanze mit Wort] *[Plante avec mot]* • 1929
Privatbesitz

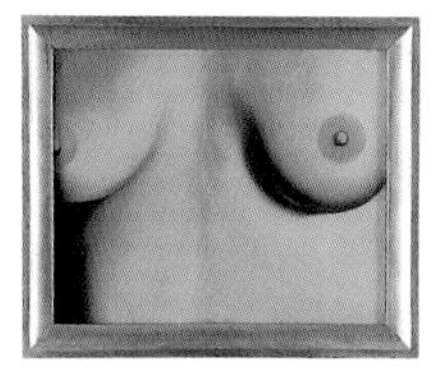

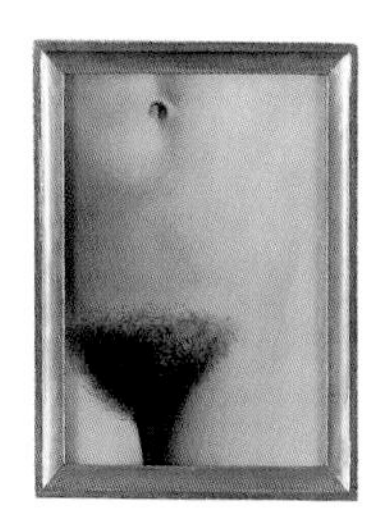

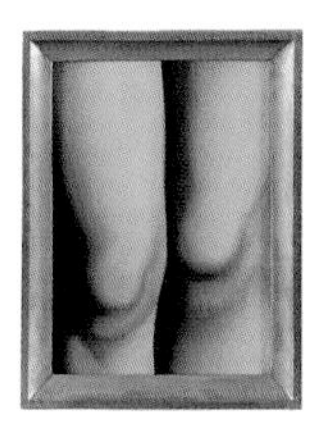

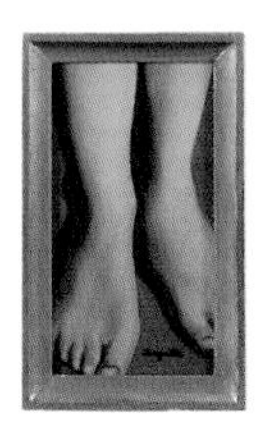

Die ewige Evidenz *L'Évidence éternelle* • 1930
The Menil Collection, Houston

Die Verkündigung *L'Annonciation* • 1930
Trustees of the Tate Gallery, London

An der Schwelle zur Freiheit *Au Seuil de la liberté* • 1930
Museum Boijmans Van Beuningen, Rotterdam

l'Acacia
la Lune
la Neige
le Plafond
l'Orage
le Désert
magritte

Der Schlüssel der Träume *La Clef des songes* • 1930
Privatbesitz

À LA
HAUTEUR DES CIRCONSTANCES
REVOLVER
Magritte

Porträt von E.L.T. Mesens *Portrait de E.L.T. Mesens* • 1930

Privatbesitz

Die Tiefen der Erde *Profondeurs de la terre* • 1930
Privatbesitz

Der Fluch *La Malédiction* • 1931
Privatbesitz

magritte

Die Stimme der Lüfte *La Voix des airs* • 1931
Peggy Guggenheim Collection, The Solomon R. Guggenheim Foundation, Venedig

magritte

Das Panorama *Le Panorama* • 1931
Verbleib unbekannt

Das Attentat *L'Attentat* • 1932
Groeningemuseum, Brügge

Die Zukunft der Statuen *L'Avenir des statues* • 1932
Wilhelm Lehmbruck Museum, Duisburg

Das demaskierte Universum *L'Univers démasqué* • 1932
Privatbesitz

magritte

Der Sturm *La Tempête* • 1932
Privatbesitz

Die Wunderblume *La Belle de nuit* • 1932
Privatbesitz

So lebt der Mensch *La Condition humaine* • 1933
National Gallery of Art, Washington, Schenkung »Collectors Committee«

Das Licht des Zufalls *La Lumière des coïncidences* • 1933
Dallas Museum of Art, Schenkung Mr. & Mrs. Jake L. Hamon

Die unerwartete Antwort *La Réponse imprévue* • 1933
Musées Royaux des Beaux-Arts de Belgique, Brüssel

Die Wahlverwandtschaften *Les Affinités électives* • 1933
Privatbesitz

Die Leiter des Feuers *L'Échelle du feu* • 1934
Klaus Groenke, Berlin

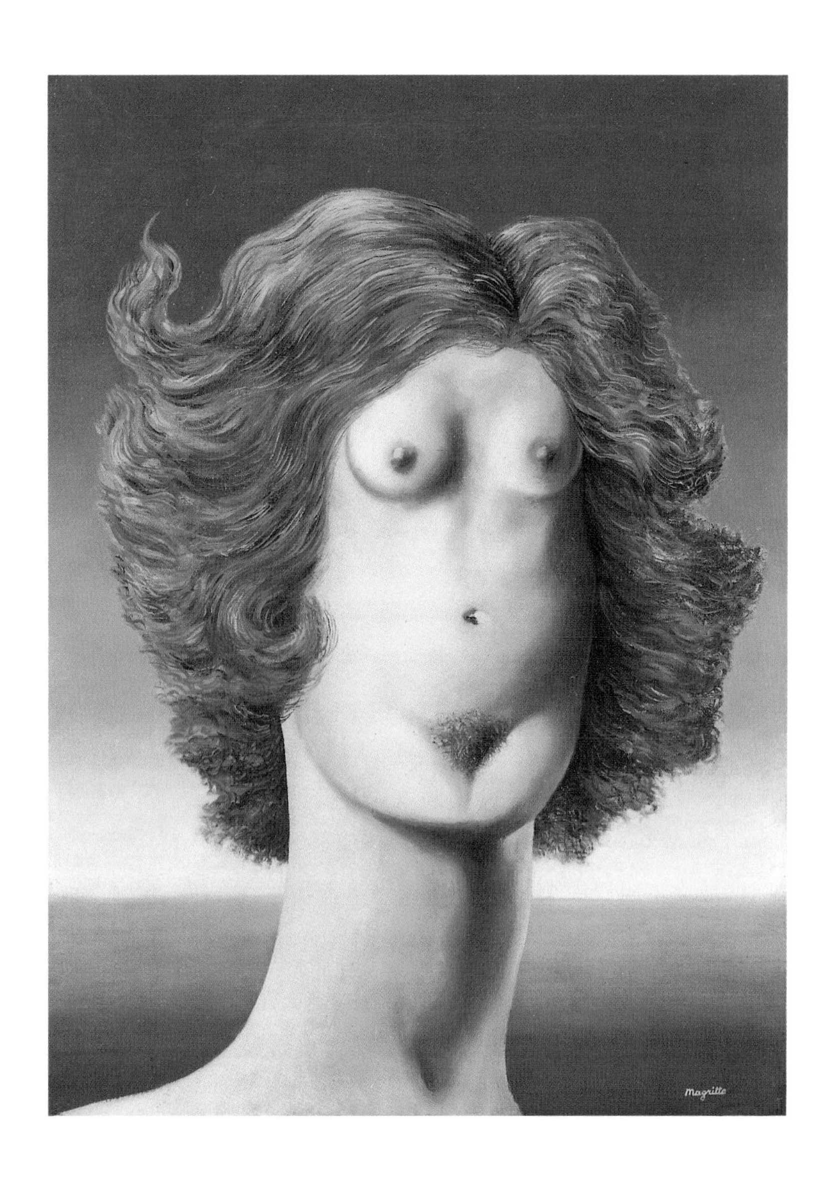

Die Vergewaltigung *Le Viol* • 1934
The Menil Collection, Houston

Magritte

Die Entdeckung des Feuers *La Découverte du feu* • 1934–1935
Sammlung Leslee & David Rogath

Die wehrlose Liebe *L'Amour désarmé* • 1935
Privatbesitz

Die Ewigkeit *L'Éternité* • 1935

The Museum of Modern Art, New York, Sammlung Harry Torczyner

Die kollektive Erfindung *L'Invention collective* • 1935
Privatbesitz

So lebt der Mensch *La Condition humaine* • 1935
Privatbesitz

Die Liebesaussicht *La Perspective amoureuse* · 1935
Verbleib unbekannt

Magritte

Der falsche Spiegel *Le Faux Miroir* • 1935
Privatbesitz

magritte

Das rote Modell *Le Modèle rouge* • 1935
Musée National d'Art Moderne, Centre Georges Pompidou, Paris

Das Bildnis *Le Portrait* • 1935

The Museum of Modern Art, New York, Sammlung Kay Sage Tanguy

magritte
Sky

Der Palast aus Vorhängen *Le Palais de rideaux* • 1935

P. & M. Alechinsky, Bougival

[Komposition am Strand] *[Composition sur la plage]* · 1935
Privatbesitz

Magritte

Gott ist kein Heiliger *Dieu n'est pas un Saint* • 1935–1936
Musées Royaux des Beaux-Arts de Belgique, Brüssel

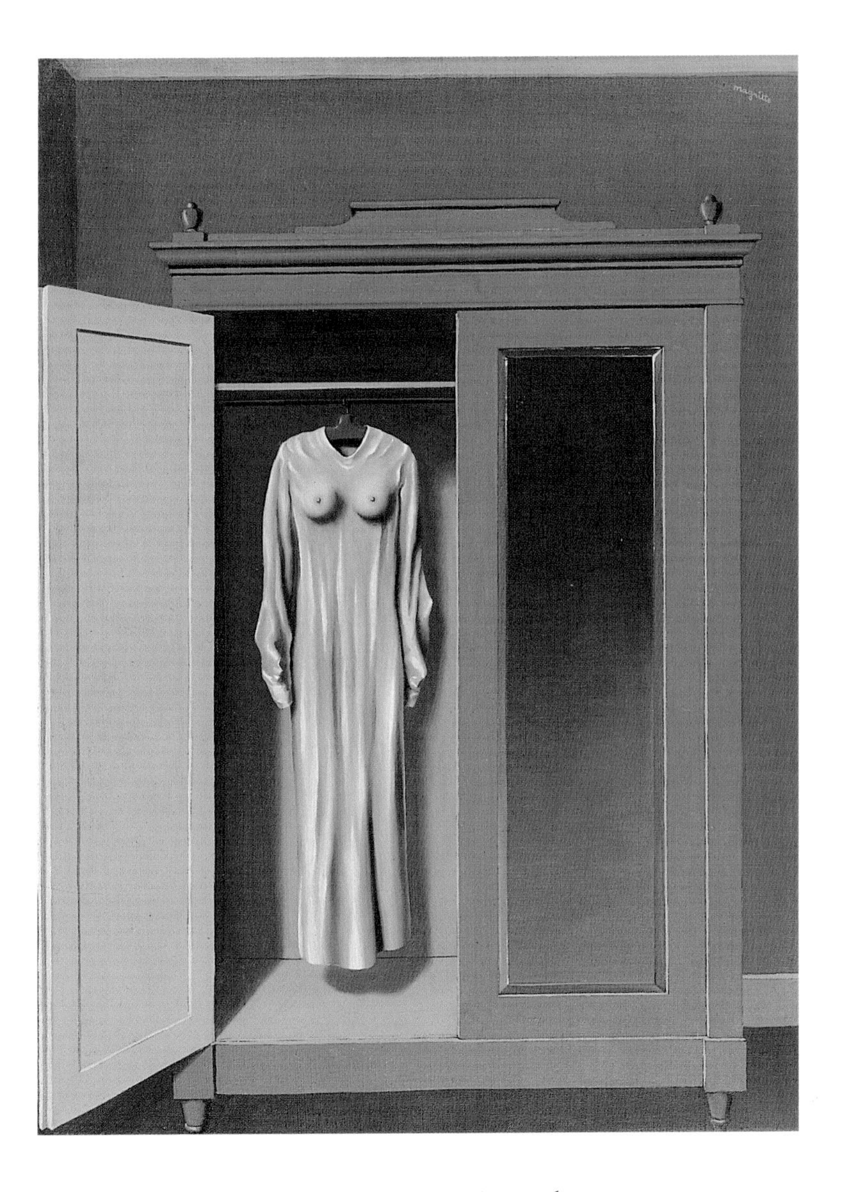

In memoriam Mack Sennett *In Memoriam Mack Sennett* • 1936
Sammlung der Stadt La Louvière

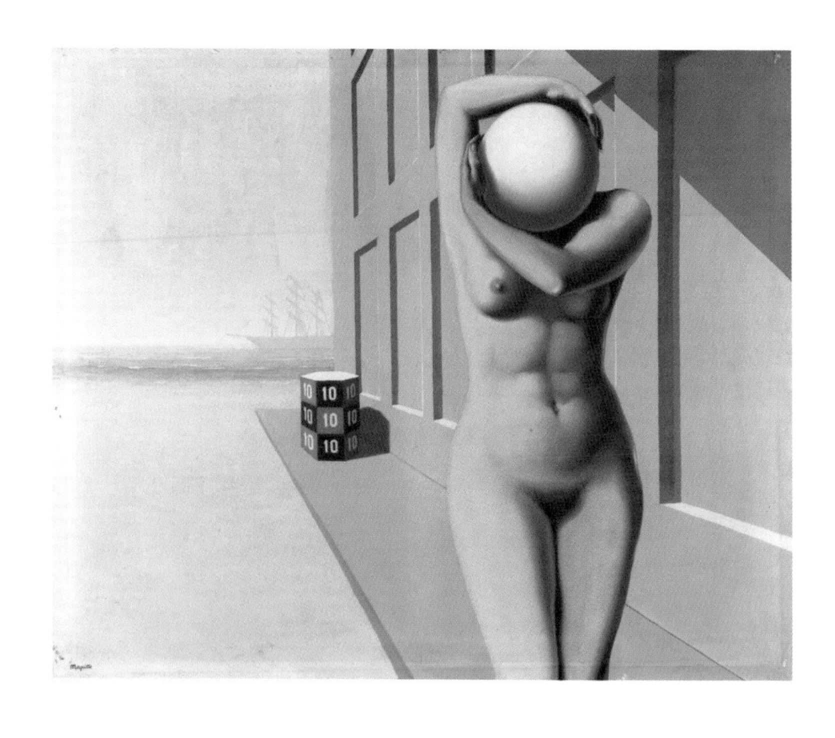
10
10
10

Geistige Übungen *Exercices spirituels* • 1936

Privatbesitz

Hellsehen *La Clairvoyance* • 1936
Privatbesitz

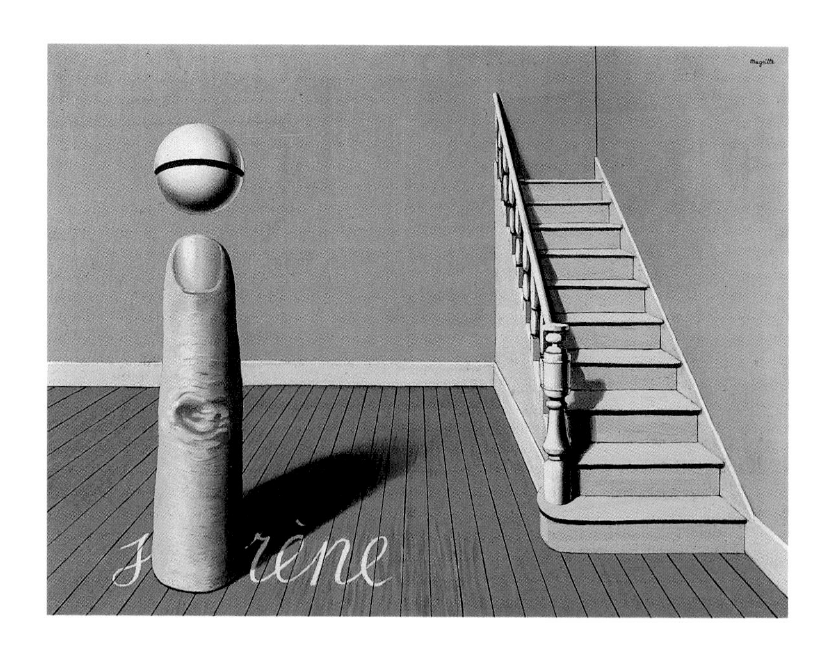

Irene oder Die verbotene Lektüre *Irène ou La Lecture défendue* · 1936
Musées Royaux des Beaux-Arts de Belgique, Brüssel,
Legat Irène Scutenaire-Hamoir

Die Entdeckung des Feuers *La Découverte du feu* • 1936
Sammlung Mr. & Mrs. Gilbert Kaplan, New York

Der Schlüssel zur Freiheit *La Clef des champs* • 1936
Fundación Colección Thyssen-Bornemisza, Madrid

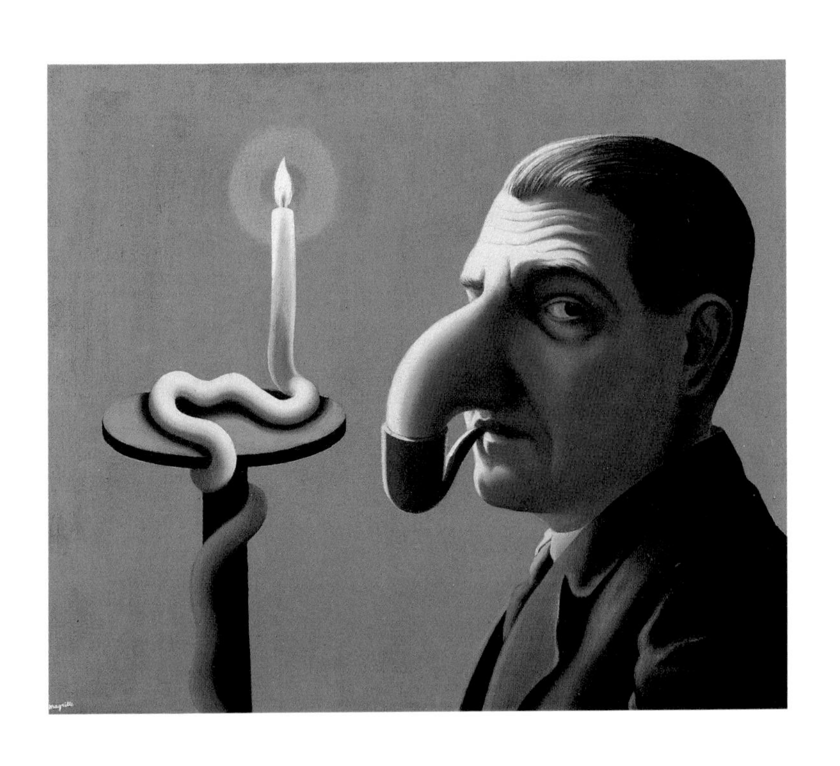

Die philosophische Lampe *La Lampe philosophique* • 1936
Privatbesitz

Die Riesin *La Géante* • 1936
Privatbesitz

magritte

Der Therapeut *Le Thérapeute* • 1936
Privatbesitz

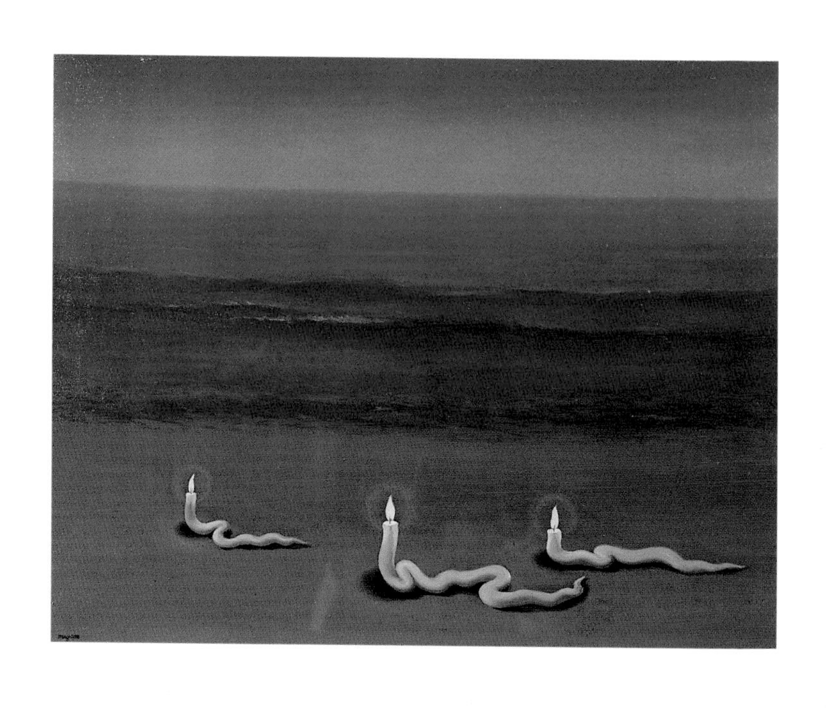

Die Meditation *La Méditation* • 1936
Sammlung Mr. & Mrs. Gilbert Kaplan, New York

Suzanne Spaak *Suzanne Spaak* • 1936
Sammlung Mme Louise M. Bennani-Spaak

magritte

Die gefährlichen Bande *Les Liaisons Dangereuses* • 1936
Privatbesitz

magritte

Der Geist der Geometrie *L'Esprit de géométrie* · 1936–1937
Trustees of the Tate Gallery, London

Dies ist ein Stück Käse *Ceci est un morceau de fromage* • 1936–1937
The Menil Collection, Houston

Gemaltes Objekt: Auge *Objet peint: œil* • 1936–1937
Timothy Baum, New York

Lob der Dialektik *Éloge de la dialectique* • 1937
National Gallery of Victoria, Melbourne, Legat Felton

vague
Magritte

Georgette *Georgette* • 1937
Musées Royaux des Beaux-Arts de Belgique, Brüssel, Legat Georgette Magritte

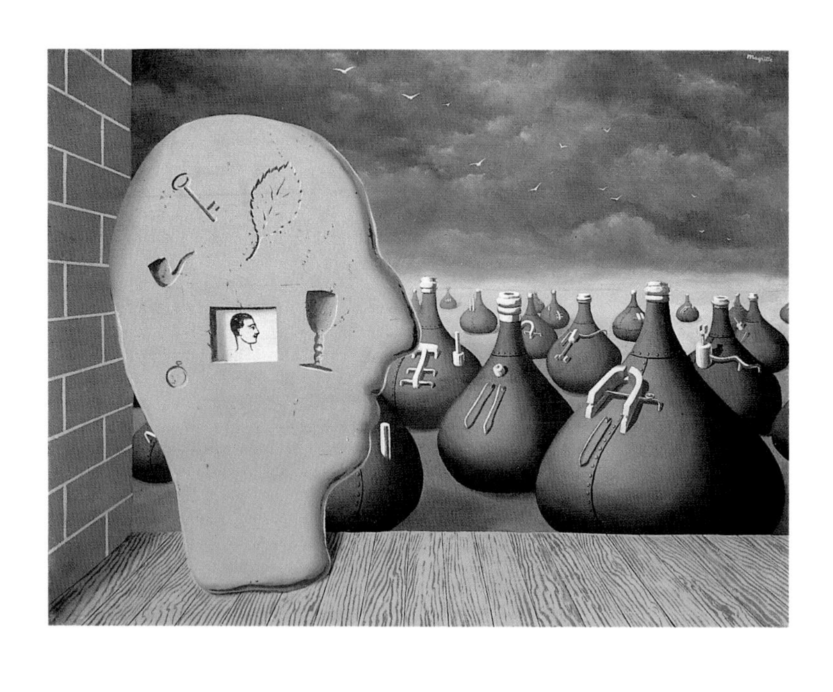

Die spontane Generation *La Génération spontanée* • 1937
Privatbesitz

Die illustrierte Jugend *La Jeunesse illustrée* • 1937
Museum Boijmans Van Beuningen, Rotterdam

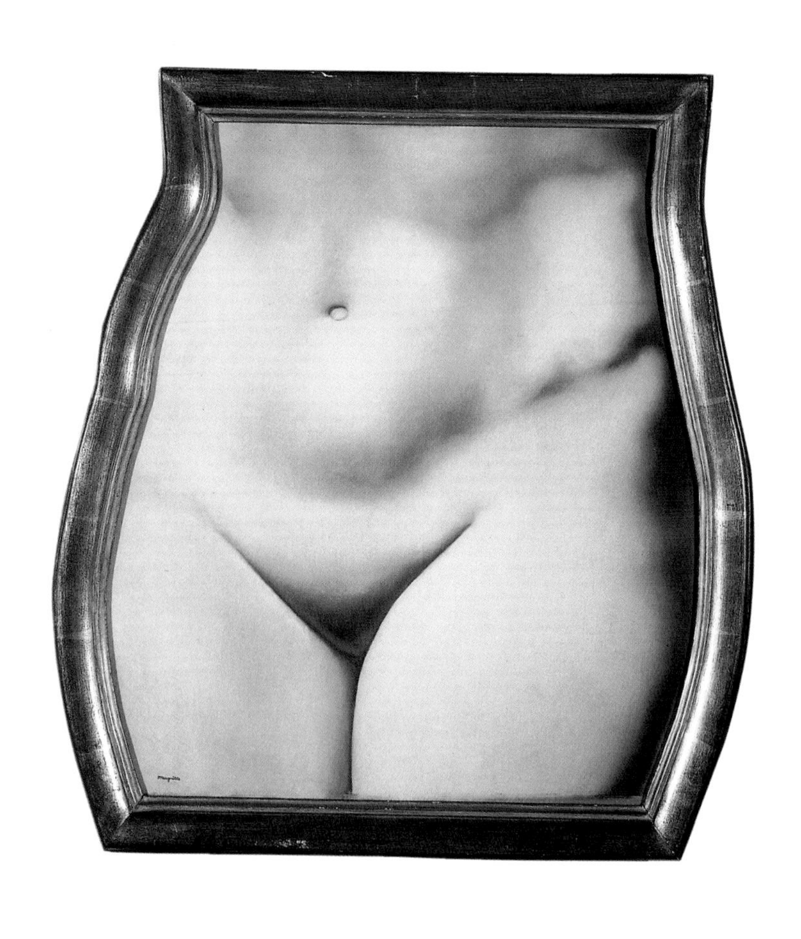

Die Darstellung *La Représentation* • 1937
Scottish National Gallery of Modern Art, Edinburgh

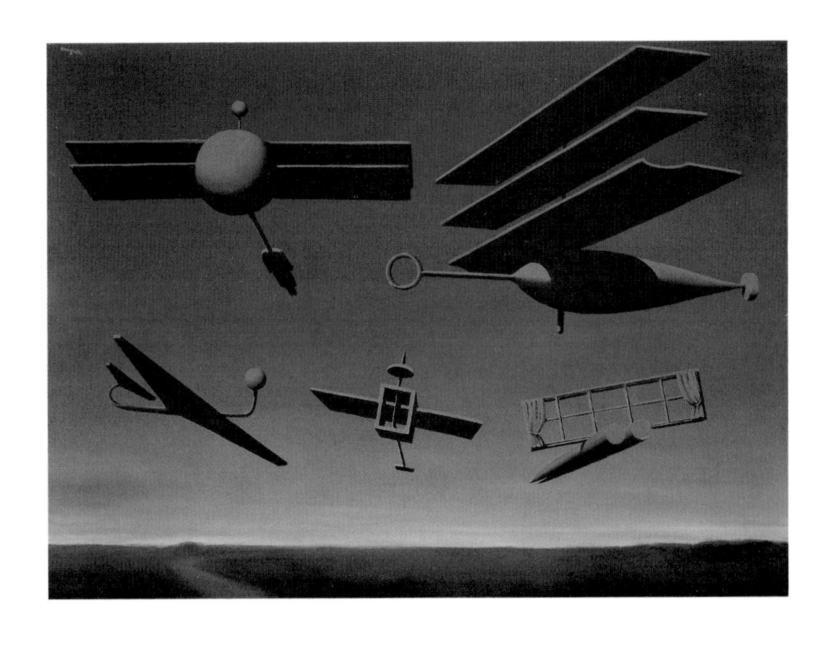

Die schwarze Fahne *Le Drapeau noir* • 1937
Scottish National Gallery of Modern Art, Edinburgh

Das rote Modell *Le Modèle rouge* • 1937
Museum Boijmans Van Beuningen, Rotterdam

Bel canto
Bel Canto
Bel Canto
magritte

Bel Canto *Bel canto* • 1938

Musées Royaux des Beaux-Arts de Belgique, Brüssel,
Legat Irène Scutenaire-Hamoir

Die Invasion *L'Invasion* • 1938
Michael Pearson, Monte Carlo

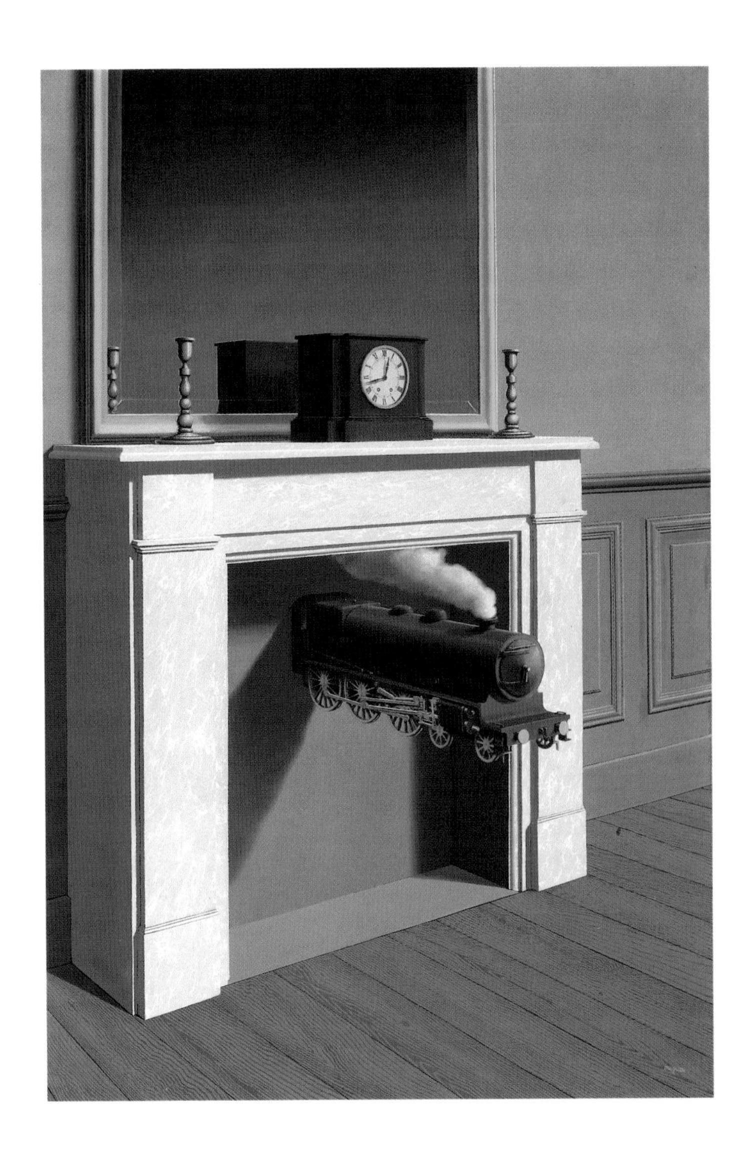

Die erstochene Zeit *La Durée poignardée* • 1938
The Art Institute of Chicago, Joseph Winterbotham Collection

Der Kuss *Le Baiser* • 1938
Musées Royaux des Beaux-Arts de Belgique, Brüssel,
Legat Mme Hergé-Kieckens

Die Domäne von Arnheim *Le Domaine d'Arnheim* • 1938
Sammlung Diane S.A.

Die Zukunft *La Bonne Aventure* • 1938–1939
Verbleib unbekannt

Die Stufen des Sommers *Les Marches de l'été* • 1938–1939
Musée National d'Art Moderne, Centre Georges Pompidou, Paris

magritte

Das Glashaus *La Maison de Verre* • 1939
Museum Boijmans Van Beuningen, Rotterdam

magritte

Die Gegenwart *Le Présent* • 1938–1939
Privatbesitz

Der Nachtreigen *La Ronde de nuit* • 1939
Verbleib unbekannt

Der Sieg *La Victoire* · 1939
Privatbesitz

Magritte

Der Zeuge *Le Témoin* • 1939
Privatbesitz

Das Hochzeitsmahl *Le Repas de noces* • 1939–1940
Privatbesitz
> **Die Rückkehr** *Le Retour* • 1940
Musées Royaux des Beaux-Arts de Belgique, Brüssel

Magritte

Die Ebene der Luft *La Plaine de l'air* • 1940
Privatbesitz

Die Suche nach dem Absoluten *La Recherche de l'absolu* • 1940
Ministère de la Communauté française de Belgique, Brüssel

Das Plagiat *Le Plagiat* · 1940
Privatbesitz

Die letzten schönen Tage *Les Derniers Beaux Jours* • 1940
Sammlung Diane S. A.

Porträt von Adrienne Crowet *Portrait d'Adrienne Crowet* • 1940
Privatbesitz

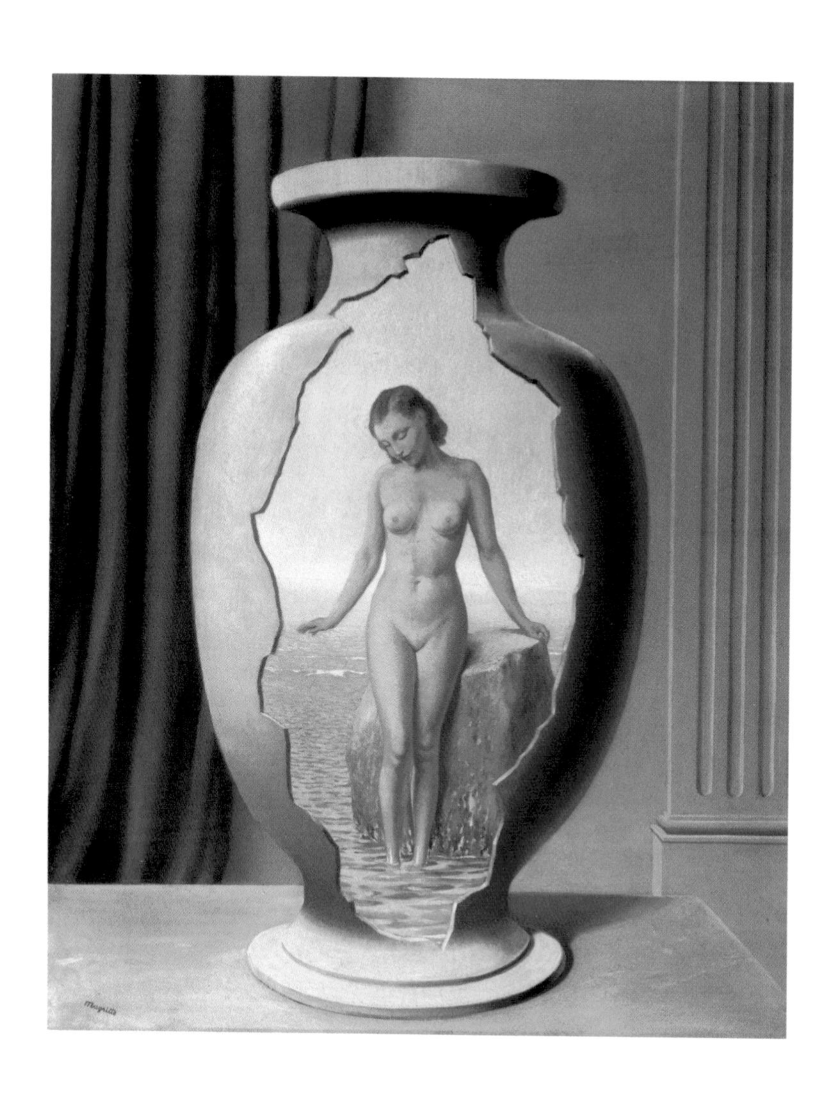

Der Orient *L'Orient* · 1941
Privatbesitz
> **Die Windstille** *L'Embellie* · 1941
Privatbesitz

Heimweh *Le Mal du pays* • 1941
Privatbesitz

Die tiefen Wasser *Les Eaux profondes* • 1941
Sammlung Shirley C. Wozencraft

Magritte

Der Ruf der Gipfel *L'Appel des cimes* • 1942
'21' International Holdings Inc., New York

Die Schatzinsel *L'Île au trésor* • 1942
Musées Royaux des Beaux-Arts de Belgique, Brüssel, Legat Georgette Magritte

Die schwarze Magie *La Magie noire* • 1942
Privatbesitz

Magritte

Das Gedächtnis *La Mémoire* • 1942
Verbleib unbekannt

magritte

Der späte Morgen *Le Grand Matin* • 1942
Privatbesitz

Das schöne Schiff *Le Beau navire* • 1942
Privatbesitz

Der Bindestrich *Le Trait d'union* • 1942
Privatbesitz

Die Gefährten der Angst *Les Compagnons de la peur* • 1942
Sammlung Brigitte & Véronique Salik
> **Die Menschenfeinde** *Les Misanthropes* • 1942
Galerie Brusberg, Berlin & Galerie Zwirner, Köln

Magritte

Die neuen Jahre *Les Nouvelles Années* • 1942
Privatbesitz

Jungfern aus Isle Adam *Mesdemoiselles de l'Isle Adam* • 1942
Privatbesitz

Magritte

Der Stachel *L'Aiguillon* • 1943
George Evens, Antwerpen

Die Feuersbrunst *L'Incendie* • 1943
Musées Royaux des Beaux-Arts de Belgique, Brüssel, Legat Georgette Magritte

Das verbotene Universum *L'Univers interdit* • 1943
Musée d'art moderne, Lüttich

Die fünfte Jahreszeit *La Cinquième Saison* • 1943
Musées Royaux des Beaux-Arts de Belgique, Brüssel,
Legat Irène Scutenaire-Hamoir

Die Ernte *La Moisson* • 1943
Musées Royaux des Beaux-Arts de Belgique, Brüssel,
Legat Irène Scutenaire-Hamoir

Der Teppich der Penelope *La Tapisserie de Pénélope* • 1943
Verbleib unbekannt

Vom Glück der Bilder oder Die Freundschaft *Le Bonheur des images ou L'amitié* • 1943
Alessandro Zodo, Mailand

Der erste Tag *Le Premier Jour* • 1943
Privatbesitz

Die Rückkehr der Flamme *Le Retour de flamme* • 1943
Privatbesitz

AN
19237O

Das Lächeln *Le Sourire* • 1943
Musées Royaux des Beaux-Arts de Belgique, Brüssel,
Legat Irène Scutenaire-Hamoir

Porträt der Familie Giron *Portrait de la famille Giron* • 1943
Privatbesitz

Bild mit grünem Haus *Image à la maison verte* • 1944
Privatbesitz

Magritte

Das Echo *L'Écho* • 1944
Privatbesitz

Die Lichtung *La Clairière* • 1944
Privatbesitz

Das Vorleben *La Vie antérieure* • 1944
Verbleib unbekannt

Die angewandte Dialektik *La Dialectique appliquée* • 1944–1945
Sammlung Leslee & David Rogath

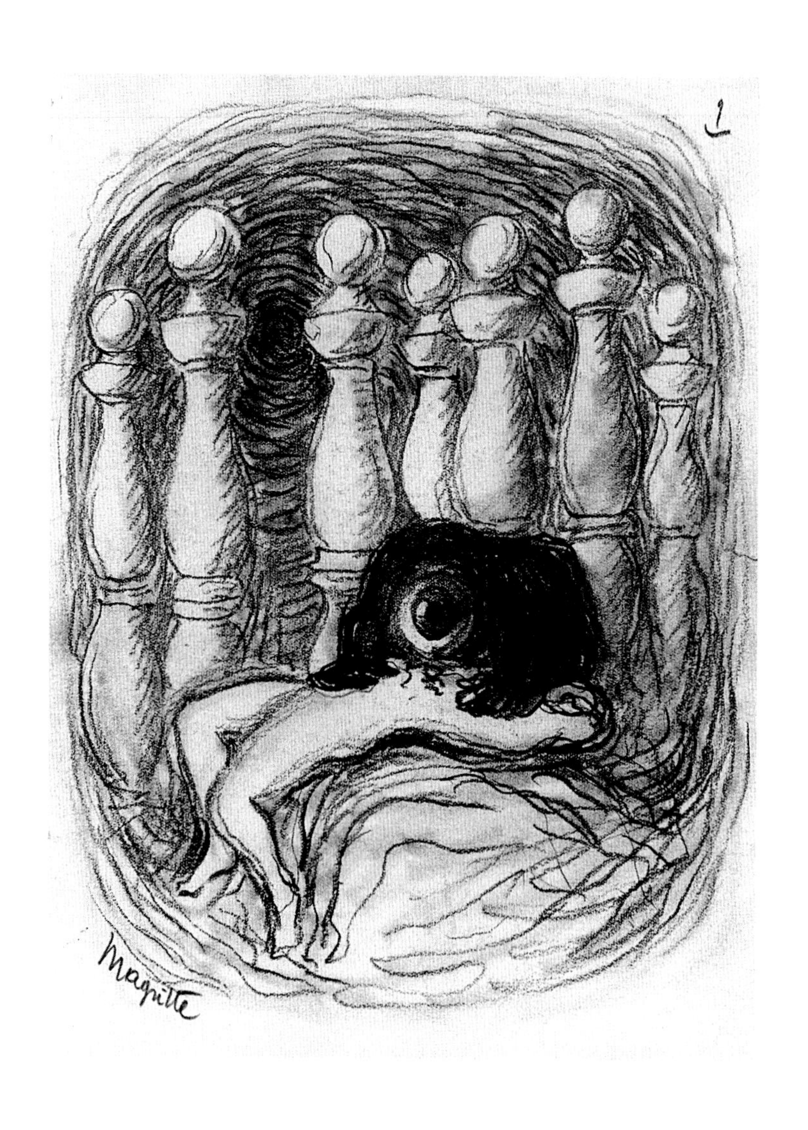
Magritte

Studie zu »Les Chants de Maldoror« *Étude pour Les Chants de Maldoror* · 1945
The Menil Collection, Houston

Der Magnet *L'Aimant* • 1945
Verbleib unbekannt

Nächtlicher Himmel mit Vogel *Ciel nocturne avec oiseau* • 1945
Privatbesitz

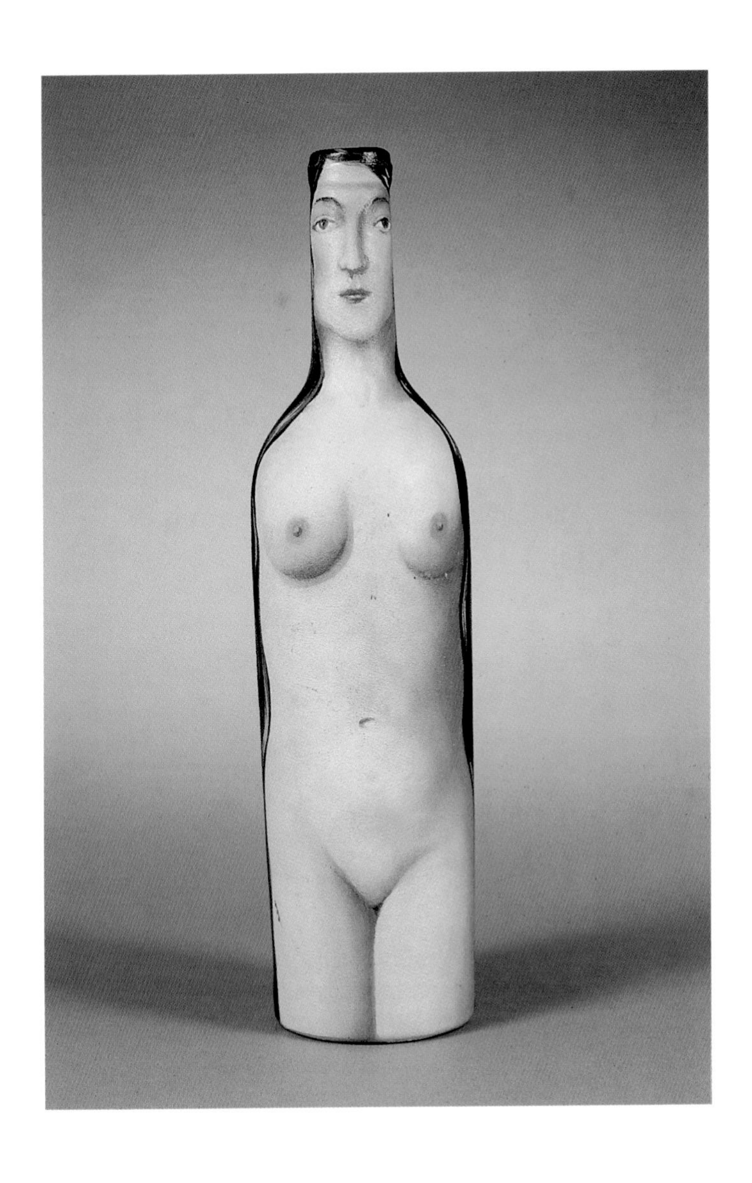

Flaschen-Frau *Femme-bouteille* • 1945
Privatbesitz

Magritte

Die schwarze Magie *La Magie noire* • 1945
Musées Royaux des Beaux-Arts de Belgique, Brüssel, Legat Georgette Magritte

Der glückliche Zufall *La Bonne Fortune* • 1945
Musées Royaux des Beaux-Arts de Belgique, Brüssel,
Legat Irène Scutenaire-Hamoir

Die Schatzinsel *L'Île au trésor* • 1945
Courtesy of Hildegard Fritz-Denneville Fine Arts Ltd., London

Magritte

Das Gedächtnis *La Mémoire* • 1945
Privatbesitz

Der Elfenbeinturm *La Tour d'ivoire* • 1945
Privatbesitz

Der Traum *Le Rêve* • 1945
Privatbesitz

Die natürlichen Begegnungen *Les Rencontres naturelles* • 1945
Musées Royaux des Beaux-Arts de Belgique, Brüssel,
Legat Irène Scutenaire-Hamoir

[Gemäldefragment] *[Fragment d'une toile]* • 1945
Privatbesitz

Die Glut *Le Brasier* • 1945–1946
Verbleib unbekannt

Sirenen-Mann, an einem Galgen hängend *Homme-sirène pendu à un gibet* • 1946
Musées Royaux des Beaux-Arts de Belgique, Brüssel,
Legat Irène Scutenaire-Hamoir

Magritte

Das Zeitalter der Lust *L'Âge du plaisir* • 1946
Privatbesitz

magritte

Die Intelligenz *L'Intelligence* • 1946
Musées Royaux des Beaux-Arts de Belgique, Brüssel,
Legat Irène Scutenaire-Hamoir

Die unendliche Anerkennung *La Reconnaissance infinie* • 1946
Patrimoine culturel de la Communauté française de Belgique

Der Geschmack der Tränen *La Saveur des larmes* • 1946
Verbleib unbekannt
> **Das Vergnügen** *Le Plaisir* • 1946
Privatbesitz

magritte

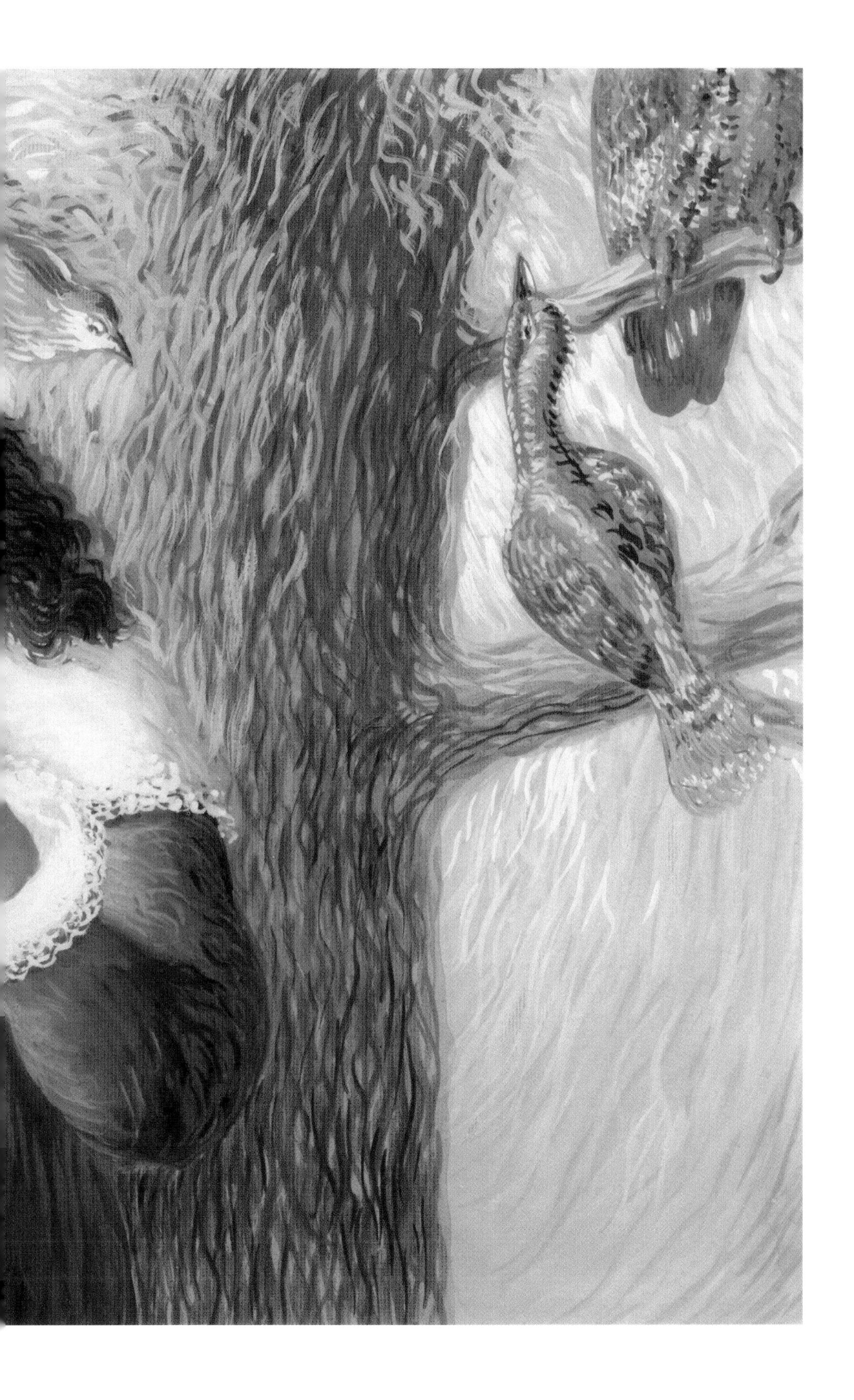

Magritte

Das Kristallbad *Le Bain de cristal* • 1946
Privatbesitz

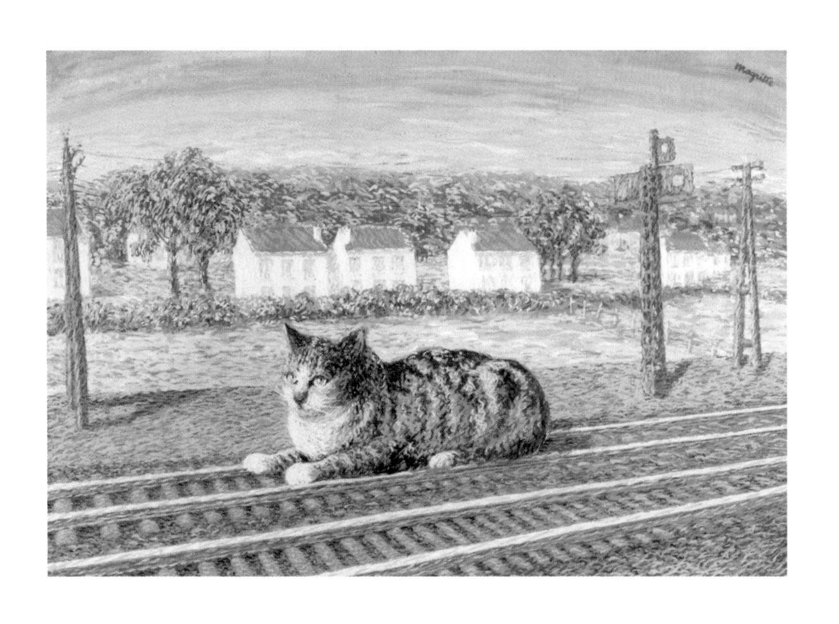

Raminagrobis *Raminagrobis* • 1946

Privatbesitz

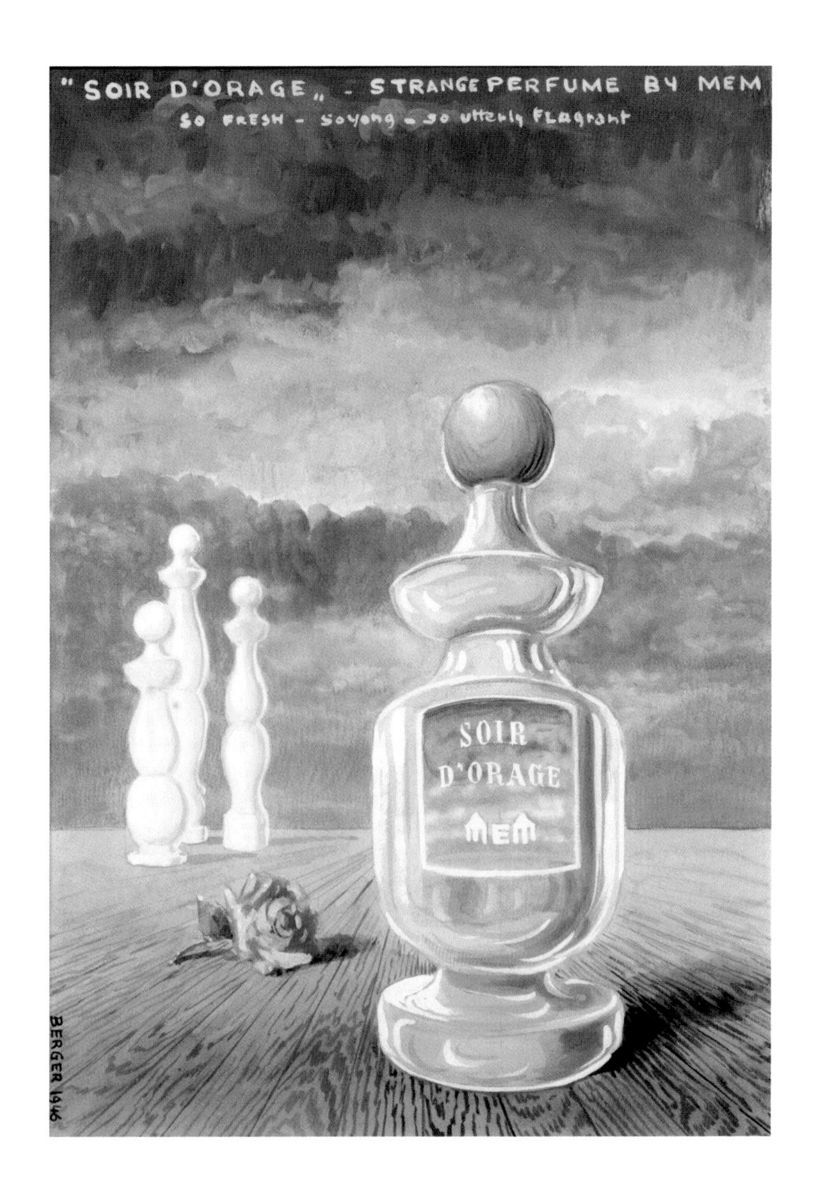
"SOIR D'ORAGE" - STRANGE PERFUME BY MEM
SO FRESH - SOYONG - SO UTTERLY FLAGRANT
SOIR D'ORAGE
MEM
BERGER 1946

Soir d'orage *Soir d'orage* • 1946
Privatbesitz

magritte

Der Wergstöpsel *L'Etoupillon* · 1947
Privatbesitz

magritte

Die Liebesnacht *La Nuit d'amour* • 1947
Privatbesitz

Das gelobte Land *La Terre promise* • 1947
Jacob Bronka Weintraub, New York

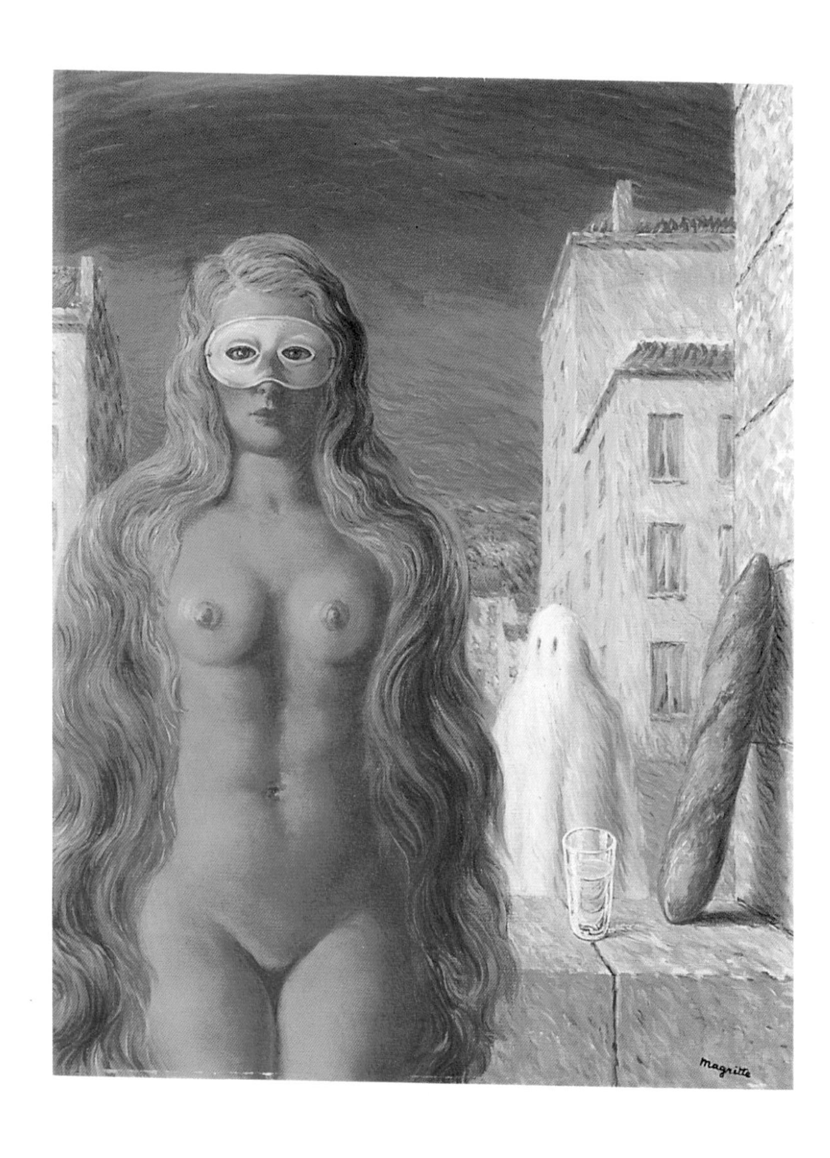
magritte

Der Karneval des Weisen *Le Carnaval du sage* • 1947
Privatbesitz

magritte

Die Lyrik *Le Lyrisme* • 1947

Musées Royaux des Beaux-Arts de Belgique, Brüssel,
Legat Irène Scutenaire-Hamoir

Magritte

Der Schlafwandler *Le Somnambule* • 1947
Privatbesitz

Die großen Begegnungen *Les Grands Rendez-vous* • 1947
Privatbesitz

Der Märchenprinz *Le Prince charmant* • 1947–1948
Privatbesitz

Die Menschenrechte *Les Droits de l'homme* • 1947–1948
Privatbesitz

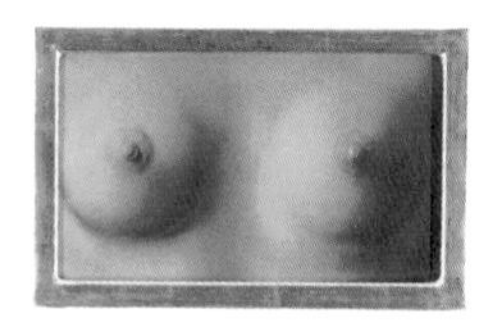

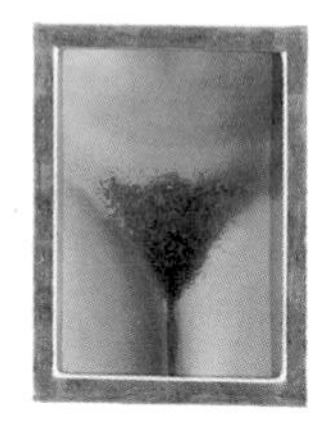

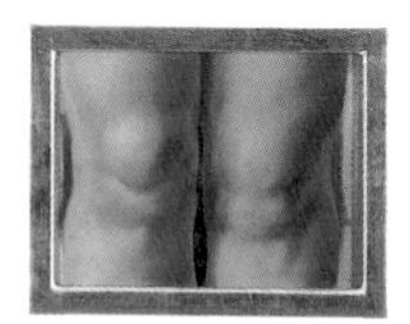

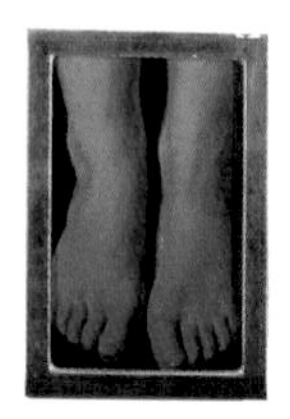

Die ewige Evidenz *L'Évidence éternelle* • 1948
Privatbesitz

Magritte

Die Ellipse *L'Ellipse* • 1948
Musées Royaux des Beaux-Arts de Belgique, Brüssel,
Legat Irène Scutenaire-Hamoir

Mag 48

Die Lebensart *L'Art de vivre* • 1948
Musées Royaux des Beaux-Arts de Belgique, Brüssel,
Legat Irène Scutenaire-Hamoir

magritte

Die Hungersnot *La Famine* • 1948
Musées Royaux des Beaux-Arts de Belgique, Brüssel,
Legat Irène Scutenaire-Hamoir

magritte

Megalomanie II *La Folie des grandeurs II* • 1948
Hirshhorn Museum and Sculpture Garden, Smithsonian Institution, Washington, Schenkung Joseph H. Hirshhorn

Die Freiheit des Geistes *La Liberté de l'esprit* • 1948
Musée des Beaux-Arts, Charleroi

Das Gedächtnis *La Mémoire* • 1948
Sammlung des belgischen Staates

Die reine Vernunft *La Raison pure* • 1948
Privatbesitz

Der Geschmack der Tränen *La Saveur des larmes* • 1948
Musées Royaux des Beaux-Arts de Belgique, Brüssel

Magritte

Der Geschmack der Tränen *La Saveur des larmes* • 1948
Trustees of the Barber Institute of Fine Arts, The University of Birmingham

Magritte

Der Kiesel *Le Galet* • 1948

Musées Royaux des Beaux-Arts de Belgique, Brüssel, Legat Georgette Magritte

Die Stimme des Blutes *La Voix du sang* • 1948
Privatbesitz

Der Fremdenführer *Le Cicérone* • 1948
Privatbesitz

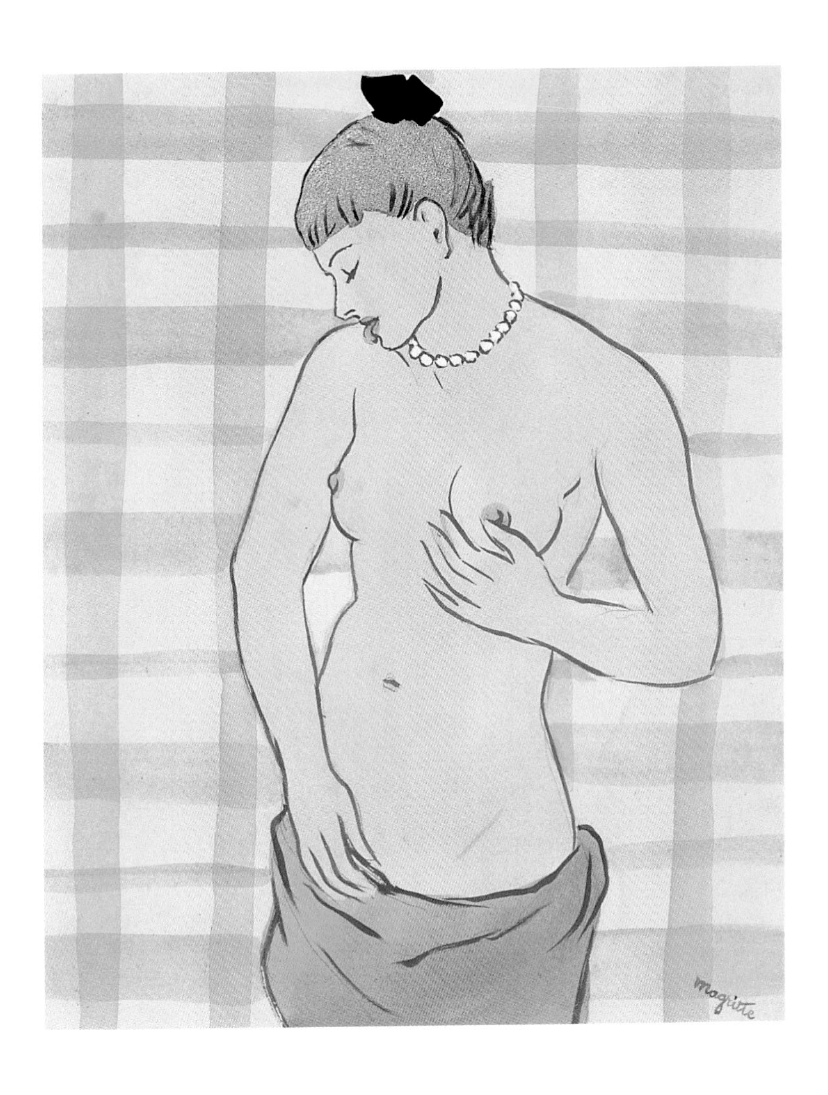
magritte

Der Kiesel *Le Galet* • 1948
Musées Royaux des Beaux-Arts de Belgique, Brüssel,
Legat Irène Scutenaire-Hamoir

Magritte

Der Märchenprinz *Le Prince charmant* • 1948
Musées Royaux des Beaux-Arts de Belgique, Brüssel, Legat Irène Scutenaire-Hamoir

Magritte

Der Krepel *Le Stropiat* • 1948
Privatbesitz

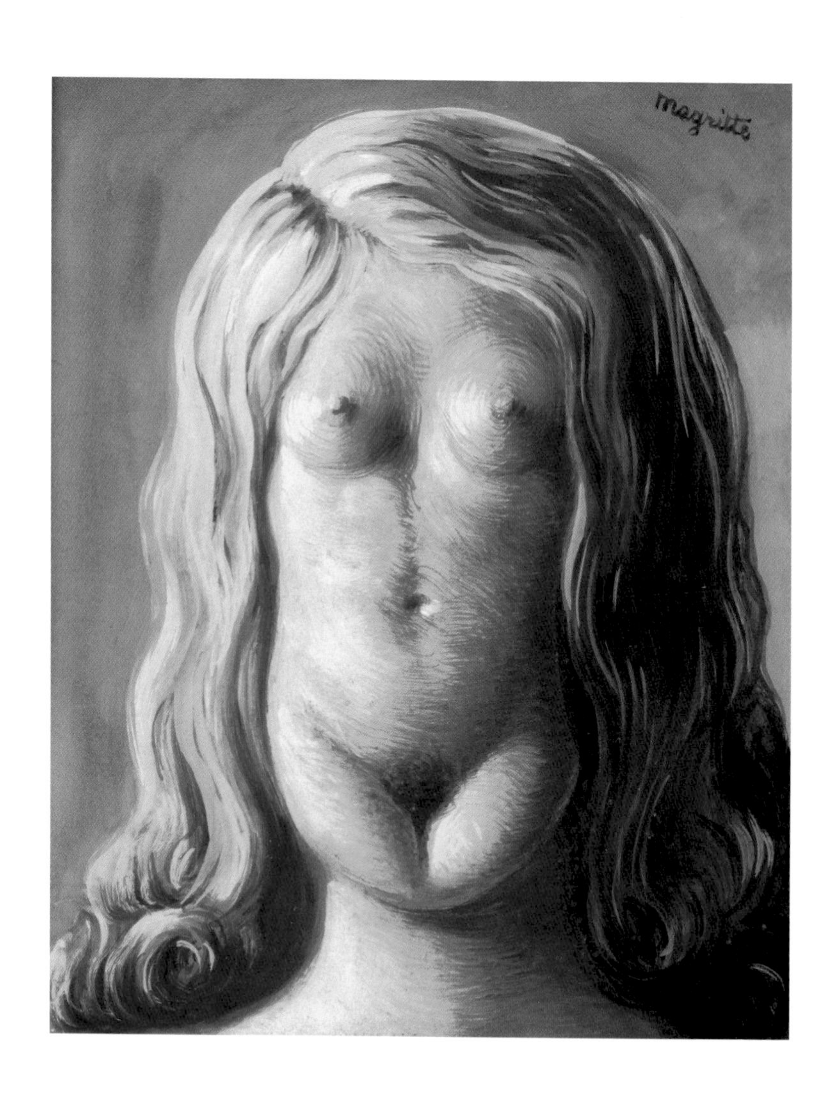
magritte

Die Vergewaltigung *Le Viol* • 1948

Privatbesitz

magritte

Lola de Valence *Lola de Valence* • 1948
André Garitte Foundation, Antwerpen

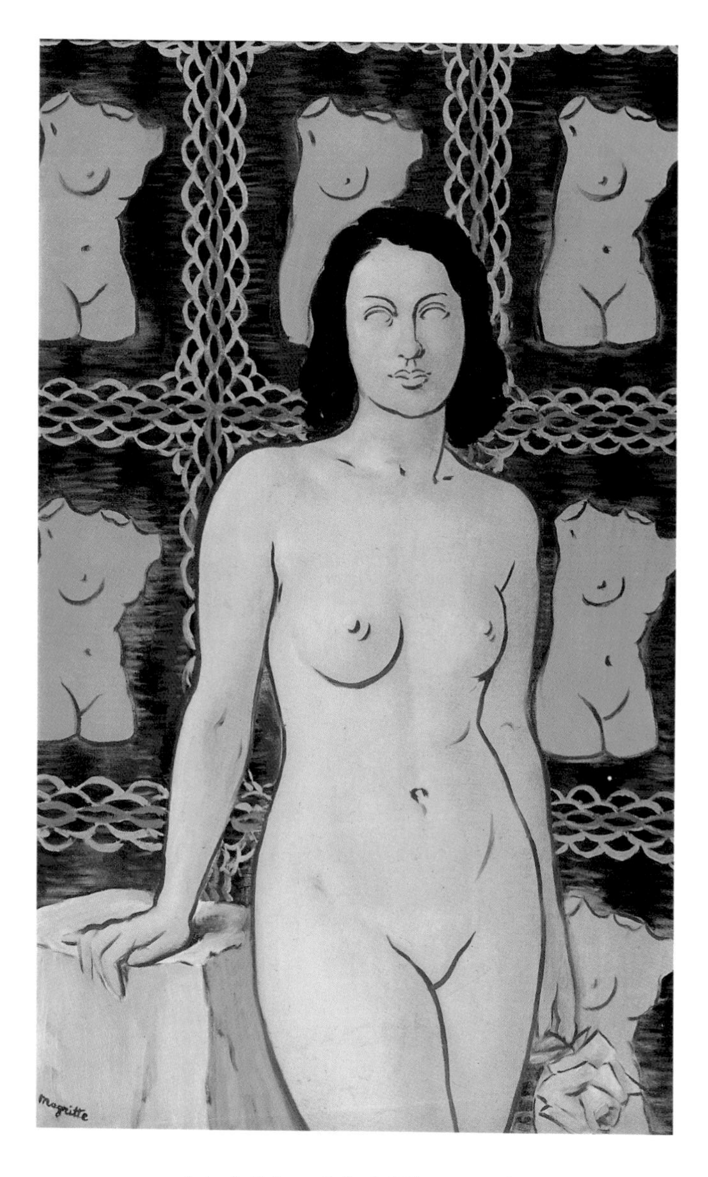
Magritte

Lola de Valence *Lola de Valence* • 1948
Musées Royaux des Beaux-Arts de Belgique, Brüssel, Legat Irène Scutenaire-Hamoir

Olympia · 1948
Privatbesitz

Magritte

Pom'po pom'po pon po pon pon · 1948
Musées Royaux des Beaux-Arts de Belgique, Brüssel,
Legat Irène Scutenaire-Hamoir

magritte

Der Geschmack der Tränen *La Saveur des larmes* • 1949
Privatbesitz

Die Kunst der Konversation I *L'Art de la conversation I* • 1950
New Orleans Museum of Art, Schenkung William H. Alexander

Die Kunst der Konversation III *L'Art de la conversation III* • 1950
Belgischer Staat, Musée des Beaux-Arts, Verviers
> **Die Kunst der Konversation IV** *L'Art de la conversation IV* • 1950
Privatbesitz

Magritte

Die Krümmung des Universums *La Courbure de l'univers* • 1950
The Menil Collection, Houston

Die Unentschiedenheit *La Valse hésitation* • 1950
Sammlung Leslee & David Rogath

Magritte

Die Bequemlichkeit des Geistes *Le Confort de l'esprit* • 1950
Privatbesitz

Der Verführer *Le Séducteur* • 1950
Virginia Museum of Fine Arts, Richmond, Collection Mr. & Mrs. Paul Mellon

magritte

Der Überlebende *Le Survivant* • 1950
The Menil Collection, Houston

Magritte

Die verlorenen Schritte *Les Pas perdus* • 1950
Sammlung des Akron Art Museum, Akron (Ohio)

Landschaft im Mondschein mit Malerei *Paysage au clair de lune avec peinture* • 1950
Privatbesitz

magritte

Perspektive: »Der Balkon« von Manet II *Perspective: Le Balcon de Manet II* • 1950

S.M.A.K., Gent

Magritte

Perspektive: »Mme Récamier« von David
Perspective: Madame Récamier de David · 1950
Privatbesitz

Magritte

Die Almayer-Marotte *La Folie Almayer* • 1951
Privatbesitz

Die Springflut *La Grande Marée* • 1951
Privatbesitz

Magritte

Der Liebestrank *Le Philtre* • 1951

New Orleans Museum of Art, Schenkung Muriel Bultman Francis

Der Verführer *Le Séducteur* • 1951
Privatbesitz

ANNO
30861
ANNO
274
ANNO
1957

Das Lächeln *Le Sourire* • 1951

Privatbesitz

Wolken und Schellen *Nuages et grelots* • 1951
Privatbesitz

Perspektive: »Mme Récamier« von David

Perspective: Madame Récamier de David • 1951

National Gallery of Canada, Ottawa

Reisesouvenir III *Souvenir de voyage III* • 1951
Privatbesitz

Die Herrschaft des Lichts *L'Empire des lumières* • 1952
Lois & Georges de Menil

magritte

Die Erklärung *L'Explication* • 1952
Privatbesitz

Magritte

Der Stoß ins Herz *Le Coup au cœur* • 1952
Sammlung Richard S. Zeisler, New York

Magritte

Reisesouvenir *Souvenir de voyage* • 1952
Privatbesitz

Alice im Wunderland *Alice au pays des merveilles* • 1952
Patrimoine culturel de la Communauté française de Belgique

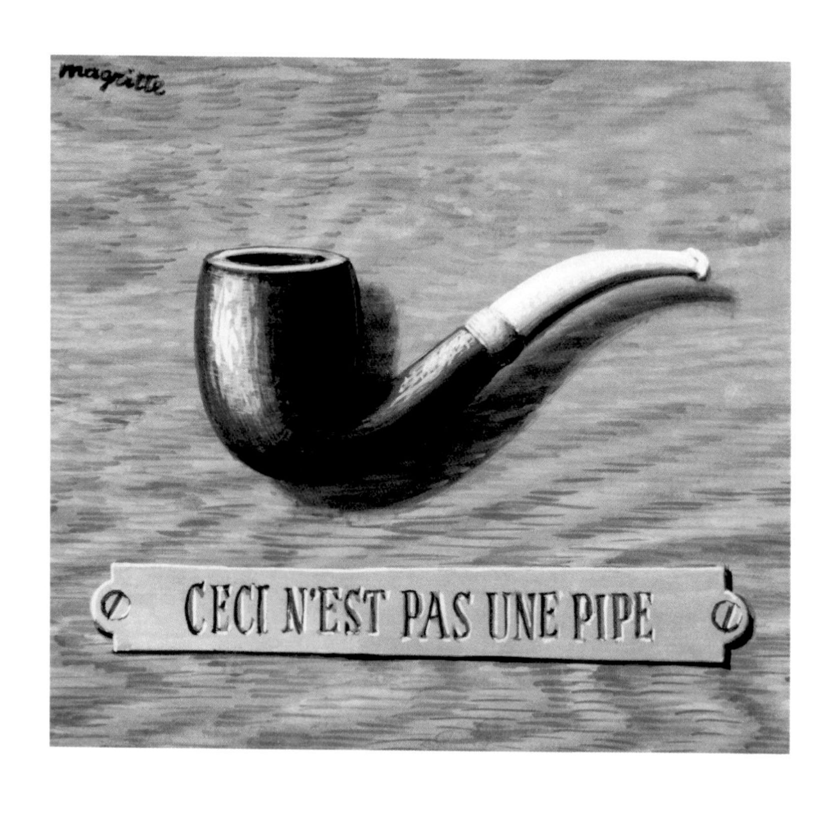
magritte
CECI N'EST PAS UNE PIPE

Der Verrat der Bilder *La Trahison des images* • 1952–1953
Verbleib unbekannt

magritte
Personnage assis

Das gute Beispiel (Porträt von Alexander Iolas)
Le Bon exemple (portrait d'Alexandre Iolas) • 1953
Musée National d'Art Moderne, Centre Georges Pompidou, Paris

Die verzauberte Domäne *Le Domaine enchanté* • 1953
Privatbesitz

magritte

Der Verführer *Le Séducteur* • 1953
Privatbesitz
> **Golkonda** *Golconde* • 1953
The Menil Collection, Houston

Magritte

Die Wunder der Natur *Les Merveilles de la nature* • 1953
Museum of Contemporary Art, Chicago, Schenkung Joseph und Jory Shapiro

Die Herrschaft des Lichts *L'Empire des lumières* • 1954
Musées Royaux des Beaux-Arts de Belgique, Brüssel

Das große Jahrhundert *Le Grand Siècle* • 1954
Städtisches Museum, Gelsenkirchen

Die unsichtbare Welt *Le Monde invisible* • 1954

The Menil Collection, Houston

Anne-Marie Crowet *Anne-Marie Crowet* • 1955
Privatbesitz

Magritte

Die Stimme des Blutes *La Voix du sang* • 1955
Privatbesitz

Der besagte Ort *Le Lieu-dit* • 1955
Privatbesitz

Die Ursprünge der Sprache *Les Origines du langage* • 1955
The Menil Collection, Houston

Die Menschenfeinde *Les Misanthropes* • 1955
Privatbesitz

Die Fanatiker *Les Fanatiques* • 1955
Privatbesitz

Die Spaziergänge des Euklid *Les Promenades d'Euclide* • 1955
The Minneapolis Institute of Arts, The William Hood Dunwoody Fund

Reisesouvenir *Souvenir de voyage* • 1955
The Museum of Modern Art, New York, Sammlung D. & J. de Menil

Die unwissende Fee oder Bildnis von Anne-Marie Crowet

La Fée ignorante ou Portrait de Anne-Marie Crowet • 1956

Privatbesitz

magritte

Das fertige Bukett *Le Bouquet tout fait* • 1956
Privatbesitz

Magritte

Der belohnte Dichter *Le Poète récompensé* • 1956
Privatbesitz

Magritte

Der sechzehnte September *Le Seize Septembre* • 1956
Kunsthaus Zürich, Schenkung Walter Haefner

Der sechzehnte September *Le Seize Septembre* • 1956
Koninklijk Museum voor Schone Kunsten, Antwerpen

Das fertige Bukett *Le Bouquet tout fait* • 1957
Osaka City Museum of Modern Art

magritte

Der Wecker *Le Réveille-matin* • 1957

Privatbesitz

Das Territorium *Le Territoire* • 1957
Privatbesitz

Magritte

Harry Torczyner oder Ein gerechtes Urteil wurde gefällt

Harry Torczyner ou Justice a été faite • 1958

Belgian American Educational Foundation, Inc., Schenkung Harry Torczyner, untergebracht in den Musées Royaux des Beaux-Arts de Belgique, Brüssel

Der intime Freund *L'Ami intime* • 1958
Mr. & Mrs. Gilbert Kaplan, New York

Die Herrschaft des Lichts *L'Empire des lumières* • 1958
Privatbesitz

Das Zimmer des Lauschens *La Chambre d'écoute* · 1958
Privatbesitz

Das Zimmer des Lauschens *La Chambre d'écoute* • 1958
Kunsthaus Zürich, Schenkung Walter Haefner

Magritte

Die Frau des Maurers *La Femme du maçon* • 1958
Privatbesitz

ROSEAU

Der Jungbrunnen *La Fontaine de Jouvence* • 1958
Yokohama Museum of Art

Die klaren Ideen *Les Idées claires* • 1958
Privatbesitz
> **Die goldene Legende** *La Légende dorée* • 1958
Sammlung Leslee & David Rogath

magritte

Die Schlacht in den Argonnen *La Bataille de l'Argonne* · 1959
Privatbesitz

Der gläserne Schlüssel *La Clef de verre* • 1959

The Menil Collection, Houston

Die Stimme des Blutes *La Voix du sang* • 1959
Museum Moderner Kunst, Stiftung Ludwig, Wien

Das Schloss in den Pyrenäen *Le Château des Pyrénées* • 1959
Israel Museum, Jerusalem, Schenkung Harry Torczyner, New York

Magritte

Der Zorn der Götter *La Colère des dieux* • 1960

Gunter Sachs

Die sensible Saite *La Corde sensible* • 1960
Privatbesitz

magritte

Der Fluch *La Malédiction* • 1960
Privatbesitz

Der verheiratete Priester *Le Prêtre marié* • 1960

Privatbesitz

Die Erinnerungen eines Heiligen *Les Mémoires d'un saint* • 1960
The Menil Collection, Houston

Kopf *Tête* · 1960
Privatbesitz

Forêt
Magritte

Die wahre Bedeutung *Le Sens propre* • 1961
Privatbesitz

Reisesouvenir *Souvenir de voyage* • 1961
Sammlung Brigitte & Véronique Salik

Licht!
cents,
Allegrett
nicht, denn für mich erstehst du nicht!
tends, c'est en vain que je l'at-tends.
Doch was
cresc. poco a
Zelt
Tri
nachSchlach
douleur
ex-trê
Held
Magritte

Musikalische Momente *Moments musicaux* • 1961

Privatbesitz

Meereslandschaft mit Vogel *Paysage marin avec oiseau* • 1961
Privatbesitz
> **Der Wasserfall** *La Cascade* • 1961
Privatbesitz

Magritte

Magritte

Porträt von Stéphy Langui *Portrait de Stéphy Langui* • 1961
Privatbesitz

Die Herrschaft des Lichts *L'Empire des lumières* • 1961
Privatbesitz

Ohne Titel *Sans titre* • 1961–1962
Sammlung Mr. & Mrs. Gilbert Kaplan, New York

Megalomanie *La Folie des grandeurs* • 1962
The Menil Collection, Houston

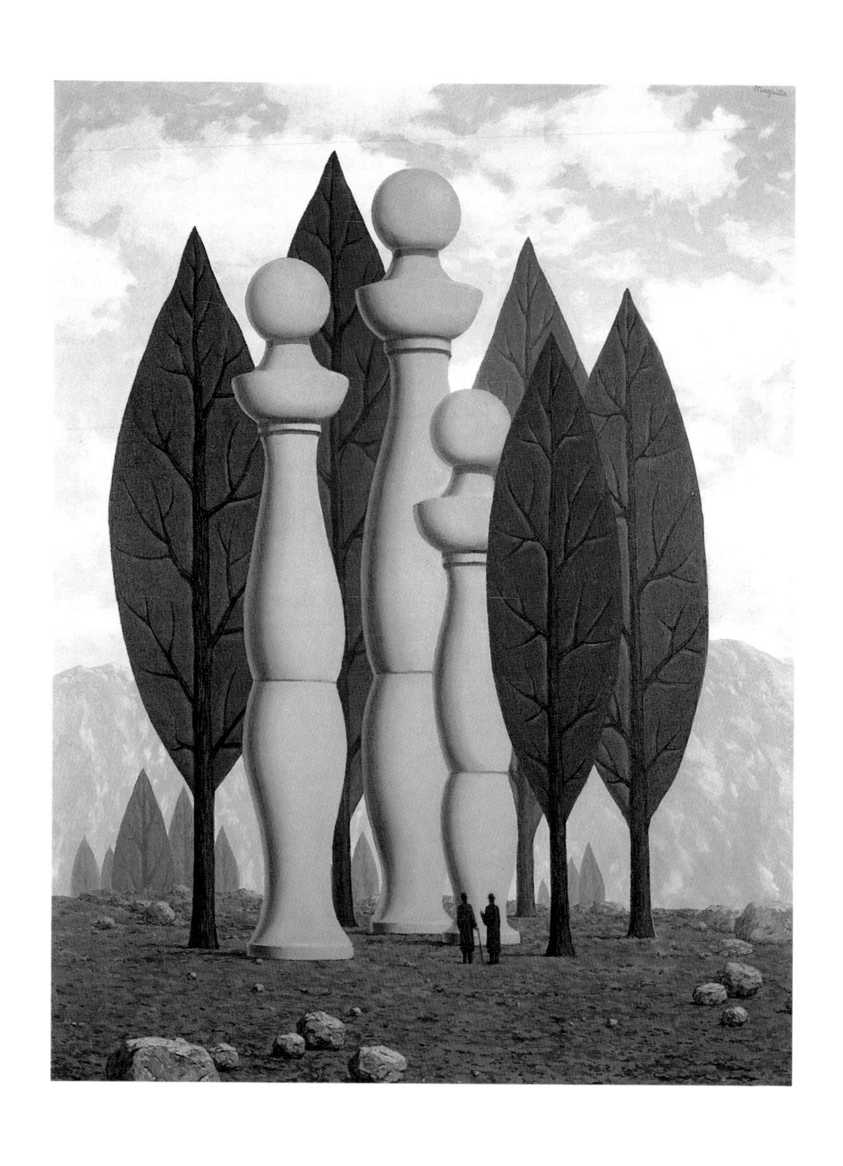

Die Kunst der Konversation *L'Art de la conversation* · 1962
Privatbesitz

Hellsehen *La Clairvoyance* • 1962
Sammlung Brigitte & Véronique Salik

Die Darstellung *La Représentation* • 1962

Selma Ertegün

Auf der Suche nach der Wonne *À la Recherche du plaisir* • 1962
Privatbesitz

magritte

Porträt von Germaine Nellens *Portrait de Germaine Nellens* • 1962
Privatbesitz

Mona Lisa *La Joconde* • 1962
Patrimoine culturel de la Communauté française de Belgique

Die Domäne von Arnheim *Le Domaine d'Arnheim* • 1962
Musées Royaux des Beaux-Arts de Belgique, Brüssel, Legat Georgette Magritte

Magritte

Der Therapeut *Le Thérapeute* • 1962
Sammlung Brigitte & Véronique Salik

Die schöne Welt *Le Beau Monde* • 1962
Privatbesitz

Der große Tisch *La Grande Table* • 1962–1963
Sammlung Mis, Brüssel

Die Suche nach der Wahrheit *La Recherche de la vérité* • 1963
Musées Royaux des Beaux-Arts de Belgique, Brüssel

Die große Familie *La Grande Famille* • 1963
Utsunomiya Museum of Art, Utsunomiya City, Tochigi

Rideau
Cheval
Magritte

Die wahre Bedeutung *Le Sens propre* • 1963
Sammlung Harry Torczyner, New York

Das Fernglas *La Lunette d'approche* • 1963
The Menil Collection, Houston

Die Herbstprinzen *Les Princes de l'automme* • 1963
Foundation for Investment in Modern and Contemporary Art

Die grenzenlose Anerkennung *La Reconnaissance infinie* • 1963
Sammlung Leslee & David Rogath

Die schöne Idee *La Belle Idée* • 1963–1964
Privatbesitz

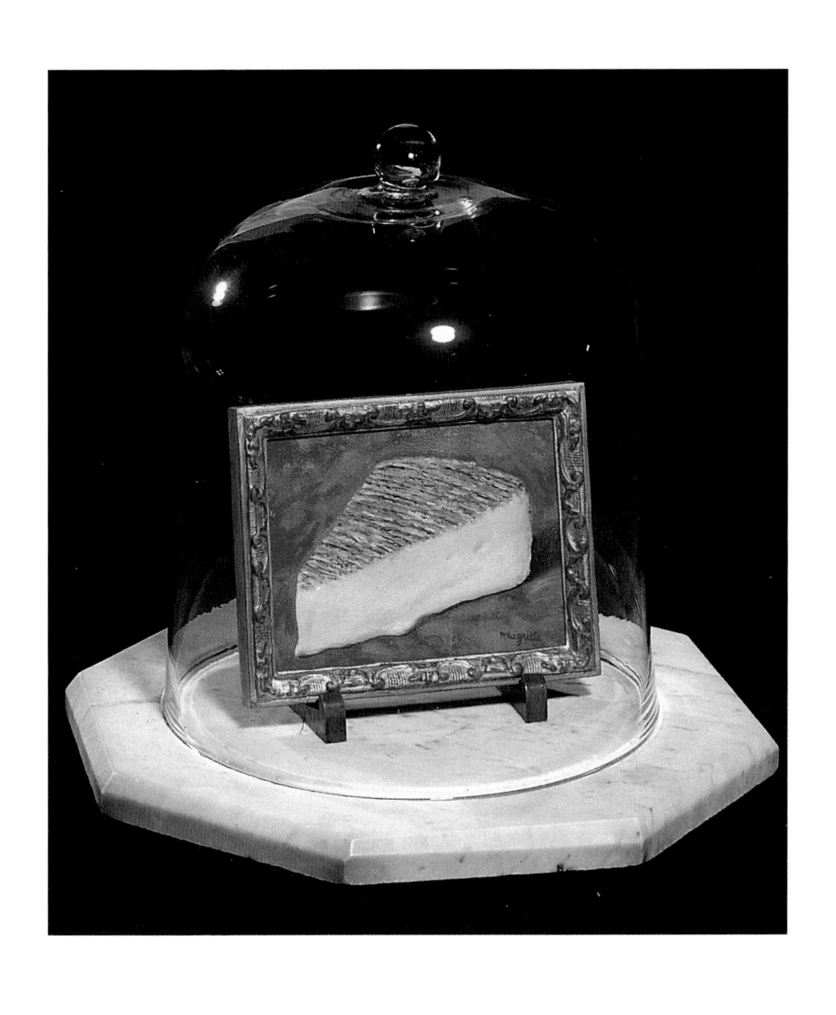

Dies ist ein Stück Käse *Ceci est un morceau de fromage* • 1963–1964
Privatbesitz

Der Wald von Paimpont *La Forêt de Paimpont* • 1964
Privatbesitz

Ceci n'est pas une pomme
Magritte

Dies ist kein Apfel *Ceci n'est pas une pomme* • 1964
Privatbesitz

Der Menschensohn *Le Fils de l'homme* • 1964
Privatbesitz

Der Freund der Ordnung *L'Ami de l'ordre* • 1964
Privatbesitz

Der hereinbrechende Abend *Le Soir qui tombe* • 1964
The Menil Collection, Houston

Der Chor der Sphingen *Le Chœur des sphinges* • 1964
Galerie Patrick Derom

Der Große Krieg *La Grande Guerre* • 1964
Privatbesitz

Der Große Krieg *La Grande Guerre* · 1964
Privatbesitz

Das Land der Wunder *Le Pays des miracles* • 1964–1965
Privatbesitz

Magritte

Der gute Glaube *La Bonne Foi* • 1964–1965
Privatbesitz

Wenn die Stunde schlägt *Quand l'heure sonnera* • 1964–1965
Sammlung Brigitte & Véronique Salik

Die fliegende Statue *La Statue volante* • 1964–1965
Verbleib unbekannt

Der gefährliche Sprung *Le Saut périlleux* • 1964–1965
Privatbesitz

Magritte

Der Mann und der Wald *L'Homme et la fôret* • 1965
Privatbesitz

Das insgeheime Einverständnis *La Connivence* • 1965
Privatbesitz

Magritte

Das Idol *L'Idole* • 1965
Privatbesitz

Die Abhandlung über die Methode *Le Discours de la méthode* • 1965
Privatbesitz

Magritte

Die Blankovollmacht *Le Blanc-seing* • 1965

National Gallery of Art, Washington, Sammlung Mr. & Mrs. Paul Mellon

Die schöne Gesellschaft *La Belle Société* • 1965–1966
Fundación Telefonica, Madrid

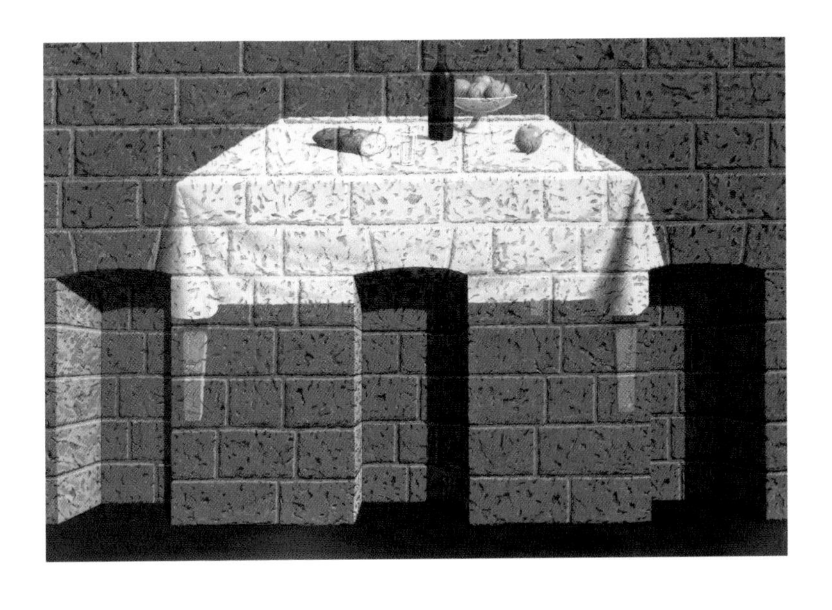

Die teure Wahrheit *L'Aimable vérité* • 1966
The Menil Collection, Houston

magritte

Der Himmelsvogel *L'Oiseau de ciel* • 1966
Sammlung Sabena

USAGE
EXTERNE
Magritte

Der Korken des Entsetzens *Le Bouchon d'épouvante* • 1966
Privatbesitz

Das Museum des Königs *Le Musée du roi* • 1966
Yokohama Museum of Art

magritte

Der glückliche Schenkende *L'Heureux Donateur* • 1966
Musée d'Ixelles, Brüssel

Magritte

Der verheiratete Priester *Le Prêtre marié* • 1966
Privatbesitz

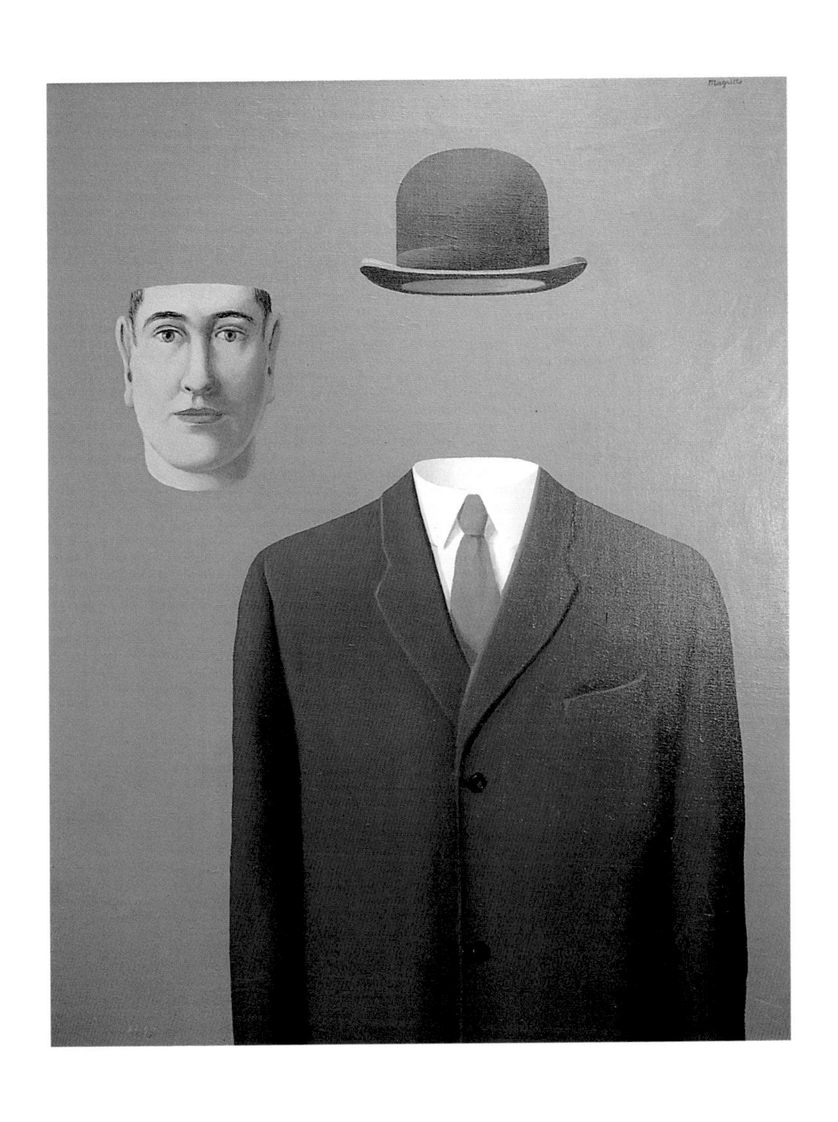

Der Pilger *Le Pèlerin* • 1966
Privatbesitz

magritte

Ohne Titel *Sans titre* • 1966

Privatbesitz

magritte

Die Geschmeide *Les Pierreries* • 1966

Privatbesitz

magritte

Der letzte Schrei *Le Dernier Cri* • 1967
Privatbesitz

Landschaft mit einem reitenden Mann *Paysage avec un homme à cheval* • 1967
Privatbesitz
> **Die unbeschriebene Seite** *La Page blanche* • 1967
Musées Royaux des Beaux-Arts de Belgique, Brüssel, Legat Georgette Magritte

Magritte

Biographie

1898 21. November: Geburt von René-Ghislain Magritte in Lessines, Provinz Hennegau. **1900** 29. Juni: Geburt seines Bruders Raymond-Firmin-Ghislain Magritte (gestorben am 30. Dezember 1970). **1902** 24. Oktober: Geburt seines Bruders Paul-Alphonse-Ghislain Magritte (gestorben am 15. Oktober 1975). **1910** Erster Zeichenunterricht bei einem Schulmeister in Châtelet. **1912** 12. März: Der leblose Körper von Frau Magritte wird aus der Sambre gezogen. Nach ihrem Tod zieht die Familie nach Charleroi, wo René das Gymnasium besucht. **1913** Auf der Kirmes von Charleroi lernt er Georgette-Marie-Florence Berger kennen (geboren am 22. Februar 1901, gestorben am 26. Februar 1986 in Schaarbeek). Sie begegnen sich häufig auf dem Hin- und Rückweg zur Schule. **1915** Erste Arbeiten im Stil des Impressionismus. **1916–1918** Immatrikulation an der Académie Royale des Beaux-Arts in Brüssel. Unterricht bei Van Damme-Sylva, Combaz und Montald. **1918** Die Familie Magritte lässt sich endgültig in Brüssel nieder. **1919–1920** Teilt sich ein Atelier mit Pierre-Louis Flouquet, der ihn mit den Arbeiten von Kubisten und Futuristen bekannt macht und ihn in die Antwerpener Avantgarde einführt. **1920** Begegnung mit E.L.T. Mesens, der Paul Magritte Klavierunterricht erteilt. **1921–1922** Ableistung seines Militärdienstes in Beverlo bei Leopoldsburg, zusammen mit Pierre Bourgeois. **1922** 28. Juni: Hochzeit mit Georgette Berger in Saint-Josse-ten-Node. Um den Lebensunterhalt für seine Familie zu sichern, arbeitet er ungefähr ein Jahr lang unter der Leitung von Victor Servranckx als Grafiker in der Tapetenfabrik Peters-Lacroix in Haren. **1923** Verlässt die Fabrik und verdient sich sein Brot mit Plakatentwürfen und Reklamezeichnungen. **1924** Verkauf seines ersten Gemäldes, einem Porträt der Sängerin Evelyne Brélia. **1925** Unzufrieden über die förmliche Abstraktion seiner zwischen 1920 und 1924 entstandenen Bilder möchte Magritte, wie er es 1938 in seiner autobiographischen Lesung *La Ligne de Vie* formuliert, einen neuen Weg einschlagen, der ihn befähigen soll, „die reale Welt in Frage zu stellen“. So beschließt er, „nur mehr Objekte mit ihren sichtbaren Details zu malen“. Arbeitet mit Mesens an der dadaistischen Zeitschrift *Œsophage*, deren einzige Ausgabe im März erscheint. Magritte zeigt sich besonders beeindruckt von *Le Chant d'amour* von Giorgio de Chirico. Marcel Lecomte macht ihn ebenfalls mit der französischen surrealistischen Poesie bekannt. Er trifft in dieser Zeit Paul Nougé und André Souris. **1926** Mitarbeit an der Zeitschrift *Marie* unter der Leitung von Mesens. Malt *Le Jockey perdu*, das er selbst als sein erstes gelungenes surrealistisches Bild betrachten soll. Macht Reklameentwürfe, insbesondere für das bekannteste Modehaus in Brüssel, das seine Freunde Norine und Paul-Gustave van Hecke betreiben, sowie für den Pelzhändler Samuel, dessen Verkaufskatalog er 1926 und 1927 illustriert. **1927** Erste Einzelausstellung in der Brüsseler Galerie Le Centaure. Der Katalog umfasst 61 Werke – 49 Ölgemälde und 12 papiers collés – und enthält Texte von van Hecke und Nougé. Begegnet Louis Scutenaire, mit dem er sich sehr anfreundet. Im August lässt sich das Ehepaar Magritte in Perreux-sur-Marne am Rand von Paris nieder . Die beiden bleiben dort drei Jahre und beteiligen sich an den Aktivitäten der Gruppe der Pariser Surrealisten. Seine besten Freunde in Paris sind Goemans, der dort eine Galerie hat, Éluard, Breton, Miro, Arp und, später, Dalí. **1928** Einzelausstellung in der Brüsseler Galerie L'Époque, unter der Leitung von Mesens. Mitarbeit an der surrealistischen Zeitschrift *Distances*, deren Direktor Nougé ist. **1929**

Februar-März: Magritte und Camille Goemans veröffentlichen *Le Sens propre*. Die Magrittes verbringen die Sommerferien bei Dalí im spanischen Cadaqués. Paul und Gala Éluard sind auch dort. Mitarbeit an der letzten Ausgabe von *La Révolution surréaliste* (15. Dezember 1929), unter anderem mit einem bedeutenden Text, „Les Mots et les Images", sowie seiner Antwort auf die Umfrage bezüglich der Liebe. Die Beziehung zu Breton wird schwieriger. **1930** Endgültige Rückkehr nach Brüssel, wo sie ein Haus in der Rue Esseghem 135 beziehen. **1932** Wird das erste Mal Mitglied der Belgischen Kommunistischen Partei. Beginn seiner Freundschaft mit Paul Colinet. **1934** Zeichnet *Le Viol* (Die Vergewaltigung) für den Umschlag von Bretons *Qu'est-ce que le surréalisme?* **1936** Januar: erste Einzelausstellung in den Vereinigten Staaten, in der New Yorker Galerie Julien Levy. Der Katalog enthält einen Text von Nougé. Herausgabe von *Marie Trombone Chapeau Buse*, einem Gedicht von Colinet, vertont von Paul Magritte und mit einem Umschlag von René Magritte. In den 1930er-Jahren entwirft Magritte für Georges Vriamont zahlreiche weitere Umschläge für Musikpartituren. Schließt sich zum zweiten Mal der Belgischen Kommunistischen Partei an. **1937** Februar-März: Magritte verbringt mehrere Wochen im Haus von Edward James in London, für den er drei große Bilder malt. In der London Gallery hält er eine Lesung über sein Œuvre. **1938** 20. November: Lesung mit dem Titel *La Ligne de Vie*, gehalten im Königlichen Museum für Schöne Künste in Antwerpen. **1940** Februar: Erscheinen der ersten Ausgabe der Zeitschrift *L'Intervention collective*, unter der Leitung von Ubac, der Paris verlässt und nach Brüssel zurückkehrt. Magritte ist einer der wichtigsten Mitarbeiter dieser Zeitschrift, deren zweite Ausgabe im April erscheint. Mai: Vor dem deutschen Einmarsch verlässt Magritte Belgien und zieht zusammen mit Irène und Louis Scutenaire nach Carcassonne. Er bleibt dort drei Monate und begegnet Joë Bousquet, Raoul und Angui Ubac. Besuch von Éluard. **1943** April: Magritte gibt seinen gewohnten Stil auf und übernimmt Palette und Technik der Impressionisten, genauer gesagt von Renoir. Ab 1943 bis 1944 malt er ausschließlich in diesem Stil. Bis 1947 existieren seine Bilder im „Renoir-Stil" und die in seinem gewohnten Stil nebeneinander. **1945** September: Wird zum dritten und letzten Mal Mitglied der Belgischen Kommunistischen Partei. **1947** Erscheinen der Veröffentlichung *René Magritte* von Scutenaire. Der Text, der bereits 1942 fertig war, war die erste Magritte-Monographie. **1948** Mai-Juni: erste Einzelausstellung in Paris, in der Galerie du Faubourg. Präsentation neuer Gemälde und Gouachen in einem völlig neuen Stil, seinem „vache"- oder „fauve"-Stil. Scutenaires Text für den Katalog, *Les Pieds dans le plat*, ist in einem entsprechend angepassten Gaunerjargon verfasst. Die Ausstellung ruft Bestürzung und Wut hervor, sogar bei seinen ältesten Freunden. Magritte verkauft nicht ein Bild und schwört seinem „vache"-Stil ab. **1952** Oktober: Erscheinen der ersten Ausgabe von *La Carte d'après Nature*, deren Direktor er ist. Die zehnte und letzte Nummer erscheint im April 1956. **1953** April: Erteilung des Auftrags für ein Wandgemälde – *Le Domaine enchanté (Das verzauberte Reich)* –, bestimmt für den großen Spielsaal des Spielkasinos in Knokke. **1957** November: Begegnung mit Harry Torczyner, der sein Freund und juristischer Berater wird. Dezember: Die Familie Magritte zieht in die Mimosastraat 97 in Schaarbeek. **1958** Juli: Beginn der Freundschaft mit André Bosmans. Die beiden korrespondieren regelmäßig bis zu Magrittes Tod und arbeiten beide mit an der Zeitschrift *Rhétorique*. **1959** Luc de Heusch dreht den Film *La Leçon de Choses*. Die erste Vorstellung findet 1960 statt. **1960** September: Breton besucht Paris. Oktober: Suzi Gablik wohnt bei den Magrittes und beginnt ihre Untersuchung über den Maler. Ihre Monografie erscheint 1970 in London. **1961** Mai: Erscheinen der ersten Ausgabe

von *Rhétorique*. Die dreizehnte und letzte Ausgabe erscheint im Februar 1966. **1963** Juli: Entwirft eine Wohnung und beauftragt einen Architekten mit deren Ausführung. Die Pläne gewinnen Kontur, doch wird das Projekt wegen des schlechter gewordenen Gesundheitszustands von Magritte im Februar 1964 aufgegeben. **1965** April: Reise zur italienischen Insel Ischia, aus Gesundheitsgründen. Juni: Magritte unterzieht sich einem chirurgischen Eingriff. Erscheinen der Monografie von Patrick Waldberg, mit einer Bibliografie von André Blavier. Dezember: Das Ehepaar Magritte reist zum ersten Mal in die Vereinigten Staaten, und zwar anlässlich der Retrospektive im New Yorker Museum of Modern Art; sie wohnen in Houston und in New York. **1966** Mai-Juni: Briefwechsel mit Michel Foucault, dessen Werk *Ceci n'est pas une pipe* 1968 erscheint. Juni: Das Ehepaar Magritte verbringt die Ferien in Cannes, Montecatini und Mailand, in Gesellschaft von Scutenaire und Irène Hamoir. **1967** Januar-Februar: Einzelausstellung in der Galerie Alexandre Iolas, Paris. Magritte bespricht mit Iolas einige Entwürfe für Skulpturen. Er wählt acht Figuren aus seinen Gemälden, macht davon eine Zeichnung und fertigt die vorbereitenden Abgüsse an. Juni: Urlaub in Italien, in Gesellschaft von Scutenaire und Hamoir. Magritte arbeitet dort an den Wachsmodellen für seine Skulpturen und signiert diese. Die Bronzen werden nach seinem Tod gegossen. 4. August: Eröffnung einer Retrospektive im Museum Boijmans Van Beuningen in Rotterdam. 15. August: Magritte stirbt in seinem Haus.
* Nach dem Katalog der Magritte-Retrospektive, Brüssel/Paris 1978–1979

Literaturverzeichnis

Foucault, Michel: *Dies ist keine Pfeife*. München 1974. **Gablik, Suzi:** *Magritte*. München/Wien/Zürich. 1971. **Gimferrer, Pere:** *Magritte*. Recklinghausen 1987. **Hammacher, Abraham M.:** *René Magritte*. Köln 1992. **Magritte, René:** *Die Geheimnisse des René Magritte*. München 1992. **Magritte, René:** *Die truglosen Bilder. Bioskop und Photograph*. Köln-Brüssel 1976. **Magritte, René:** *Dies ist kein Buch. Polemik und Malerei*. Hamburg 1995. **Magritte, René:** *Ecrits complets*. Paris 1979. **Magritte, René:** *Sämtliche Schriften*. Hrsg André Blavier. München 1981, Berlin 1985. **Noël, Bernard:** *Magritte*. München 1993. **Paquet, Marcel:** *René Magritte 1898–1967; Der sichtbare Gedanke*. Köln 1993. **Passeron, René:** *Rene Magritte. 1898–1967. Die Gesetze des Absurden*. Köln 1986. **Prange, Regine:** *Der Verrat der Bilder. Foucault über Magritte*. Rombach 2001. *René Magritte. 1898–1998*. Buchhandelsausgabe des Katalogs zur Ausstellung vom 6. März bis zum 28. Juni 1998 in Brüssel. Stuttgart, 1998. *Rene Magritte und der Surrealismus in Belgien*. Ausstellungskatalog Kunstverein und Kunsthaus Hamburg 1982. **Schiebler, Ralf:** *Die Kunsttheorie René Magrittes*. München 1981. **Schneede, Uwe:** *René Magritte. Leben und Werk*. Köln 1973, 1978. **Torczyner, Harry:** *René Magritte: Zeichen und Bilder*. Köln 1977. **Waldberg, Patrick:** *René Magritte*. Brüssel 1965.

Register der Kunstwerke

L'Abandon, s. Die Preisgabe. **Die Abhandlung über die Methode 404** *(Le Discours de la méthode)*, 1965, Öl auf Leinwand, 81x65cm, Privatbesitz. **Les Affinités électives,** s. Die Wahlverwandtschaften. **L'Âge des merveilles,** s. Das Zeitalter der Wunder. **L'Âge du feu,** s. Das Zeitalter des Feuers. **L'Âge du plaisir,** s. Das Zeitalter der Lust. **L'Aiguillon,** s. Der Stachel. **L'Aimable vérité,** s. Die teure Wahrheit. **L'Aimant,** s. Der Magnet. **À la Recherche du plaisir,** s. Auf der Suche nach der Wonne. **À la Suite de l'eau, les nuages,** s. Nach dem Wasser, die Wolken. **Alice au pays des merveilles,** s. Alice im Wunderland. **Alice im Wunderland 313** *(Alice au pays des merveilles)*, 1952, Bleistift, Gouache und Aquarell auf Papier, 17x14,5cm, Patrimoine culturel de la Communauté française de Belgique. **Die Almayer-Marotte 301** *(La Folie Almayer)*, 1951, Öl auf Leinwand, 80x60cm, Privatbesitz. **Die Alphabet der Enthüllungen 109** *(L'Alphabet des révélations)*, 1929, Öl auf Leinwand, 54x73cm, The Menil Collection, Houston. **L'Alphabet des révélations,** s. Die Alphabet der Enthüllungen. **Les Amants,** s. Die Liebenden. **Les Amants II,** s. Die Liebenden II. **Les Amants III,** s. Die Liebenden III. **Les Amants IV,** s. Die Liebenden IV. **L'Ami de l'ordre,** s. Der Freund der Ordnung. **L'Ami intime,** s. Der intime Freund. **L'Amour désarmé,** s. Die wehrlose Liebe. **An der Schwelle zur Freiheit 127** *(Au Seuil de la liberté)*, 1930, Öl auf Leinwand, 114,5x146,5cm, Museum Boijmans Van Beuningen, Rotterdam. **Die angewandte Dialektik 233** *(La Dialectique appliquée)*, 1944–1945, Öl auf Leinwand, 60x80cm, Leslee & David Rogath. **Anne-Marie Crowet 324** *(Anne-Marie Crowet)*, 1955, Öl auf Leinwand, 20,5x15,5cm, Privatbesitz. **Anne-Marie Crowet,** s. Anne-Marie Crowet. **L'Annonciation,** s. Die Verkündigung. **L'Apparition,** s. Die Erscheinung. **L'Apparition,** s. Die Erscheinung. **L'Appel des cimes,** s. Der Ruf der Gipfel. **L'Arbre de la science,** s. Der Baum der Wissenschaft. **L'Art de la conversation,** s. Die Kunst der Konversation. **L'Art de la conversation I,** s. Die Kunst der Konversation I. **L'Art de la conversation III,** s. Die Kunst der Konversation III. **L'Art de la conversation IV,** s. Die Kunst der Konversation IV. **L'Art de vivre,** s. Die Lebensart. **L'Attentat,** s. Das Attentat. **Das Attentat 134** *(L'Attentat)*, 1932, Öl auf Leinwand, 70x100cm, Groeningemuseum, Brügge. **Au Seuil de la liberté,** s. An der Schwelle zur Freiheit. **Auf der Suche nach der Wonne 373** *(À la Recherche du plaisir)*, 1962, Öl auf Leinwand, 46x55cm, Privatbesitz. **Der Automat 110** *(L'Automate)*, 1929, Öl auf Leinwand, 73x54cm, Privatbesitz. **L'Automate,** s. Der Automat. **L'Avenir des statues,** s. Die Zukunft der Statuen. **Le Bain de cristal,** s. Das Kristallbad. **Le Baiser,** s. Der Kuss. **La Bataille de l'Argonne,** s. Die Schlacht in den Argonnen. **Der Baum der Wissenschaft 108** *(L'Arbre de la science)*, 1929, Öl auf Leinwand, 41x27cm, Privatbesitz. **Le Beau Monde,** s. Die schöne Welt. **Le Beau navire,** s. Das schöne Schiff. **Bel Canto 181** *(Bel canto)*, 1938, Öl auf Leinwand, 73x54cm, Musées Royaux des Beaux-Arts de Belgique, Brüssel, Legat Irène Scutenaire-Hamoir. **Bel canto,** s. Bel Canto. **Beliebtes Panorama 28** *(Panorama populaire)*, 1926, Öl auf Leinwand, 120x80cm, Privatbesitz. **La Belle de nuit,** s. Die Wunderblume. **La Belle Idée,** s. Die schöne Idee. **La Belle Société,** s. Die schöne Gesellschaft. **Der belohnte Dichter 334** *(Le Poète récompensé)*, 1956, Öl auf Leinwand, 60x50cm, Privatbesitz. **Die Bequemlichkeit des Geistes 294** *(Le Confort de l'esprit)*, 1950, Öl auf Leinwand, 46x38cm, Privatbesitz. **Der berühmte Mann 13** *(L'Homme célèbre)*, 1926, Öl auf Leinwand, 65x81cm, Sammlung ZAN, São Paulo. **Der besagte Ort 326** *(Le Lieu-dit)*, 1955, Öl auf Leinwand, 80x60cm, Privatbesitz. **Bild mit grünem Haus 229** *(Image à la maison verte)*, 1944, Öl auf Leinwand, 60x81cm, Privatbesitz. **Das Bildnis 155** *(Le Portrait)*, 1935, Öl auf Leinwand, 73x50cm,

The Museum of Modern Art, New York, Sammlung Kay Sage Tanguy. **Der Bindestrich 212** (*Le Trait d'union*), 1942, Öl auf Leinwand, 60x73cm, Privatbesitz. **Le Blanc-seing,** s. Die Blankovollmacht. **Die Blankovollmacht 405** (*Le Blanc-seing*), 1965, Öl auf Leinwand, 81x65cm, National Gallery of Art, Washington, Sammlung Mr. & Mrs. Paul Mellon. **Die Blumen des Abgrunds I 80** (*Les Fleurs de l'abîme I*), 1928, Öl auf Leinwand, 54x73cm, Privatbesitz. **Die Blumen des Abgrunds II 81** (*Les Fleurs de l'abîme II*), 1928, Öl auf Leinwand, 41x27cm, Privatbesitz. **Das Blut der Welt 58** (*Le Sang du monde*), 1927, Öl auf Leinwand, 73x100cm, Privatbesitz. **Le Bon exemple (portrait d'Alexandre Iolas),** s. Das gute Beispiel (Porträt von Alexander Iolas). **Le Bonheur des images ou L'amitié,** s. Vom Glück der Bilder oder Die Freundschaft. **La Bonne Aventure,** s. Die Zukumft. **La Bonne Foi,** s. Der gute Glaube. **La Bonne Fortune,** s. Der glückliche Zufall. **Le Bouchon d'épouvante,** s. Der Korken des Entsetzens. **Le Bouquet tout fait,** s. Das fertige Bukett. **Le Bouquet tout fait,** s. Das fertige Bukett. **Le Brasier,** s. Die Glut. **Le Brise-lumière,** s. Der Lichtbrecher. **Die Bruchstücke des Schattens 24** (*Les Épaves de l'ombre*), 1926, Öl auf Leinwand, 120x80cm, Musée de Grenoble. **Campagne,** s. Land. **Le Carnaval du sage,** s. Der Karneval des Weisen. **La Cascade,** s. Der Wasserfall. **La Catapulte du désert,** s. Das Katapult der Wüste. **Ceci est un morceau de fromage,** s. Dies ist ein Stück Käse. **Ceci est un morceau de fromage,** s. Dies ist ein Stück Käse. **Ceci n'est pas une pomme,** s. Dies ist kein Apfel. **La Chambre d'écoute,** s. Das Zimmer des Lauschens. **La Chambre d'écoute,** s. Das Zimmer des Lauschens. **Les Charmes du paysage,** s. Die Reize der Landschaft. **Le Château des Pyrénées,** s. Das Schloss in den Pyrenäen. **Le Chœur des sphinges,** s. Der Chor der Sphingen. **Der Chor der Sphingen 393** (*Le Chœur des sphinges*), 1964, Öl auf Leinwand, 100x81cm, Galerie Patrick Derom. **[Les Cicatrices de la mémoire],** s. [Die Wundmale der Erinnerung]. **Le Cicérone,** s. Der Fremdenführer. **Le Ciel meurtrier,** s. Der mörderische Himmel. **Ciel nocturne avec oiseau,** s. Nächtlicher Himmel mit Vogel. **La Cinquième Saison,** s. Die fünfte Jahreszeit. **La Clairière,** s. Die Lichtung. **La Clairvoyance,** s. Hellsehen. **La Clairvoyance,** s. Hellsehen. **La Clef de verre,** s. Der gläserne Schlüssel. **La Clef des champs,** s. Der Schlüssel zur Freiheit. **La Clef des songes,** s. Der Schlüssel der Träume. **La Colère des dieux,** s. Der Zorn der Götter. **Les Compagnons de la peur,** s. Die Gefährten der Angst. **Les Complices du magicien,** s. Die Komplizinnen des Magiers. **[Composition sur la plage],** s. Komposition am Strand. **La Condition humaine,** s. So lebt der Mensch. **La Condition humaine,** s. So lebt der Mensch. **Le Confort de l'esprit,** s. Die Bequemlichkeit des Geistes. **La Connivence,** s. Das insgeheime Einverständnis. **Le Conquérant,** s. Der Erobener. **La Corde sensible,** s. Die sensible Saite. **Le Coup au cœur,** s. Der Stoß ins Herz. **La Courbure de l'univers,** s. Die Krümmung des Universums. **La Culture des idées,** s. Die Kultur der Ideen. **Der Dämon der Perversität 63** (*Le Démon de la perversité*), 1927, Öl auf Leinwand, 81x116cm, Musées Royaux des Beaux-Arts de Belgique, Brüssel. **Die Darstellung 178** (*La Représentation*), 1937, Öl auf Leinwand, auf Holz gezogen, 48,5x44cm, Scottish National Gallery of Modern Art, Edinburgh. **Die Darstellung 372** (*La Représentation*), 1962, Öl auf Leinwand, 81x100cm, Selma Ertegün. **Découverte,** s. Entdeckung. **La Découverte du feu,** s. Die Entdeckung des Feuers. **La Découverte du feu,** s. Die Entdeckung des Feuers. **Das demaskierte Universum 136** (*L'Univers démasqué*), 1932, Öl auf Leinwand, 73x92cm, Privatbesitz. **Le Démon de la perversité,** s. Der Dämon der Perversität. **Le Dernier Cri,** s. Der letzte Schrei. **Les Derniers Beaux Jours,** s. Die letzten schönen Tage. **La Dialectique appliquée,** s. Die angewandte Dialektik. **Die Diebin 45** (*La Voleuse*), 1927, Öl auf Leinwand, 100x73cm, Musées Royaux des Beaux-Arts de Belgique, Brüssel, Legat Irène Scutenaire-Hamoir. **Dies ist ein Stück Käse 172** (*Ceci est un morceau de fromage*), 1936–1937, Öl auf Leinwand, auf Karton gezogen, Käseglocke und -platte aus Glas, 10,3x16,2cm; H: 31cm; Durchm.

25,2 cm, The Menil Collection, Houston. **Dies ist ein Stück Käse 387** *(Ceci est un morceau de fromage)*, 1963–1964, Öl auf Masonit, unter einer Käseglocke, 11,1 x 15,1 cm, Privatbesitz. **Dies ist kein Apfel 389** *(Ceci n'est pas une pomme)*, 1964, Öl auf Leinwand, 142 x 100 cm, Privatbesitz. **Dieu n'est pas un Saint,** s. Gott ist kein Heiliger. **Le Discours de la méthode,** s. Die Abhandlung über die Methode. **Le Domaine d'Arnheim,** s. Die Domäne von Arnheim. **Le Domaine d'Arnheim,** s. Die Domäne von Arnheim. **Le Domaine enchanté,** s. Die verzauberte Domäne. **Die Domäne von Arnheim 185** *(Le Domaine d'Arnheim)*, 1938, Öl auf Leinwand, 73 x 100 cm, Sammlung Diane S.A. **Die Domäne von Arnheim 376** *(Le Domaine d'Arnheim)*, 1962, Öl auf Leinwand, 146 x 114 cm, Musées Royaux des Beaux-Arts de Belgique, Brüssel, Legat Georgette Magritte. **Le Double secret,** s. Der geheime Doppelgänger. **Le Drapeau noir,** s. Die schwarze Fahne. **Das drohende Wetter 119** *(Le Temps menaçant)*, 1929, Öl auf Leinwand, 54 x 73 cm, Scottish National Gallery of Modern Art, Edinburgh. **Les Droits de l'homme,** s. Die Menschenrechte. **La Durée poignardée,** s. Die erstochene Zeit. **Les Eaux profondes,** s. Tiefe Wasser. **Die Ebene der Luft 196** *(La Plaine de l'air)*, 1940, Öl auf Leinwand, 73 x 100 cm, Privatbesitz. **Échec et mat,** s. Schach und Matt. **L'Échelle du feu,** s. Die Leiter des Feuers. **L'Écho,** s. Das Echo. **Das Echo 230** *(L'Écho)*, 1944, Öl auf Leinwand, 55 x 46 cm, Privatbesitz. **Der Elfenbeinturm 242** *(La Tour d'ivoire)*, 1945, Öl auf Leinwand, 80 x 60 cm, Privatbesitz. **L'Ellipse,** s. Die Ellipse. **Die Ellipse 267** *(L'Ellipse)*, 1948, Öl auf Leinwand, 50 x 73 cm, Musées Royaux des Beaux-Arts de Belgique, Brüssel, Legat Irène Scutenaire-Hamoir. **L'Éloge de l'espace,** s. Das Lob des Raumes. **Éloge de la dialectique,** s. Lob der Dialektik. **L'Embellie,** s. Die Windstille. **L'Empire des lumières,** s. Die Herrschaft des Lichts. **L'Empire des lumières,** s. Die Herrschaft des Lichts. **L'Empire des lumières,** s. Die Herrschaft des Lichts. **L'Empire des lumières,** s. Die Herrschaft des Lichts. **Das Ende der Betrachtungen 43** *(La Fin des contemplations)*, 1927, Öl und Metall auf Leinwand, 73 x 100 cm, The Menil Collection, Houston. **Das Ende der Zeit 48** *(La Fin du temps)*, 1927, Öl auf Leinwand, 73 x 54 cm, Privatbesitz. **Entdeckung 36** *(Découverte)*, 1927, Öl auf Leinwand, 65 x 50 cm, Musées Royaux des Beaux-Arts de Belgique, Brüssel, Legat Irène Scutenaire-Hamoir. **Die Entdeckung des Feuers 145** *(La Découverte du feu)*, 1934–1935, Öl auf Leinwand, 33 x 41 cm, Leslee & David Rogath. **Die Entdeckung des Feuers 163** *(La Découverte du feu)*, 1936, Öl auf Leinwand, 22 x 16 cm, Sammlung Mr. & Mrs. Gilbert Kaplan, New York. **Entr'acte,** s. Zwischenspiel. **Les Épaves de l'ombre,** s. Die Bruchstücke des Schattens. **L'Épreuve du sommeil,** s. Die Heimsuchung des Schlafes. **Er spricht nicht 11** *(Il ne parle pas)*, 1926, Öl auf Leinwand, 75 x 65 cm, Privatbesitz. **Die Erinnerungen eines Heiligen 358** *(Les Mémoires d'un saint)*, 1960, Öl auf Leinwand, 80 x 100 cm, The Menil Collection, Houston. **Die Erklärung 310** *(L'Explication)*, 1952, Öl auf Leinwand, 46 x 35 cm, Privatbesitz. **Die Ernte 222** *(La Moisson)*, 1943, Öl auf Leinwand, 60 x 80 cm, Musées Royaux des Beaux-Arts de Belgique, Brüssel, Legat Irène Scutenaire-Hamoir. **Der Erobener 18** *(Le Conquérant)*, 1926, Öl und Ripolin auf Leinwand, 65 x 75 cm, Sammlung Leslee & David Rogath. **Die Erscheinung 84** *(L'Apparition)*, 1928, Öl auf Leinwand, 82,5 x 116 cm, Württembergische Staatsgalerie, Stuttgart. **Die Erscheinung 102** *(L'Apparition)*, 1928, Öl auf Leinwand, 54 x 73 cm, Galerie Brusberg, Berlin. **Der erste Tag 225** *(Le Premier Jour)*, 1943, Öl auf Leinwand, 60,5 x 55,5 cm, Privatbesitz. **Die erstochene Zeit 183** *(La Durée poignardée)*, 1938, Öl auf Leinwand, 147 x 99 cm, The Art Institute of Chicago, Joseph Winterbotham Collection. **L'Espion,** s. Der Späher. **L'Espoir rapide,** s. Die rasche Hoffnung. **L'Esprit de géométrie,** s. Der Geist der Geometrie. **L'Éternité,** s. Die Ewigkeit. **L'Etoupillon,** s. Der Wergstöpsel. **Étude pour Les Chants de Maldoror,** s. Studie zu »Les Chants de Maldoror«. **L'Évidence éternelle,** s. Die ewige Evidenz. **L'Évidence éternelle,** s. Die ewige Evidenz. **Die ewige Evidenz 125** *(L'Évidence éternelle)*, 1930, Öl auf Leinwand (5 Leinwände, gerahmt und auf Glas aufgezogen,

22x12; 19x24; 27x19; 22x16; 22x12cm, The Menil Collection, Houston. **Die ewige Evidenz 266** (*L'Évidence éternelle*), 1948, Öl auf Leinwand, auf Karton gezogen, 25,5x19,5; 19,3x32; 27 x20,2; 20,5x26,6; 26x18cm, Privatbesitz. **Die Ewigkeit 147** (*L'Éternité*), 1935, Öl auf Leinwand, 65x81cm, The Museum of Modern Art, New York, Sammlung Harry Torczyner. **Exercices spirituels,** s. Geistige Übungen. **L'Explication,** s. Die Erklärung. **Der falsche Spiegel 114** (*Le Faux Miroir*), 1929, Öl auf Leinwand, 54x81cm, The Museum of Modern Art, New York. **Der falsche Spiegel 151** (*Le Faux Miroir*), 1935, Öl auf Leinwand, 19x27cm, Privatbesitz. **La Famine,** s. Die Hungersnot. **Die Fanatiker 329** (*Les Fanatiques*), 1955, Öl auf Leinwand, 60x50cm, Privatbesitz. **Les Fanatiques,** s. Die Fanatiker. **La Fatigue de vivre,** s. Die Lebensmüdigkeit. **Le Faux Miroir,** s. Der falsche Spiegel. **Le Faux Miroir,** s. Der falsche Spiegel. **La Fée ignorante ou Portrait de Anne-Marie Crowet,** s. Die unwissende Fee oder Bildnis von Anne-Marie Crowet. **La Femme cachée,** s. Die verborgene Frau. **La Femme du maçon,** s. Die Frau des Maurers. **Femme-bouteille,** s. Flaschen-Frau. **Das Fernglas 383** (*La Lunette d'approche*), 1963, Öl auf Leinwand, 175,5x116cm, The Menil Collection, Houston. **Das fertige Bukett 333** (*Le Bouquet tout fait*), 1956, Öl auf Leinwand, 60x50cm, Privatbesitz. **Das fertige Bukett 337** (*Le Bouquet tout fait*), 1957, Öl auf Leinwand, 163x130cm, Osaka City Museum of Modern Art. **Die Feuersbrunst 219** (*L'Incendie*), 1943, Öl auf Leinwand, 54x65cm, Musées Royaux des Beaux-Arts de Belgique, Brüssel, Legat Georgette Magritte. **Le Fils de l'homme,** s. Der Menschensohn. **La Fin des contemplations,** s. Das Ende der Betrachtungen. **La Fin du temps,** s. Das Ende der Zeit. **Die fixe Idee 92** (*L'Idée fixe*), 1928, Öl auf Leinwand, 81x116cm, Staatliche Museen zu Berlin, Nationalgalerie. **Flaschen-Frau 237** (*Femme-bouteille*), 1945, Flasche, Öl auf Glas, H: 30cm, Privatbesitz. **Les Fleurs de l'abîme I,** s. Die Blumen des Abgrunds I. **Les Fleurs de l'abîme II,** s. Die Blumen des Abgrunds II. **Die fliegende Statue 399** (*La Statue volante*), 1964–1965, Öl auf Leinwand, 81x100cm, Verbleib unbekannt. **Der Fluch 131** (*La Malédiction*), 1931, Öl auf Leinwand, 54x73cm, Privatbesitz. **Der Fluch 356** (*La Malédiction*), 1960, Öl auf Leinwand, 33x41cm, Privatbesitz. **La Folie Almayer,** s. Die Almayer-Marotte. **La Folie des grandeurs,** s. Megalomanie. **Die Flussbewohnerinnen 26** (*Les Habitantes du fleuve*), 1926, Öl auf Leinwand, 73x100cm, Privatbesitz. **La Folie des grandeurs II,** s. Megalomanie II. **La Fontaine de Jouvence,** s. Der Jungbrunnen. **La Forêt,** s. Der Wald. **La Forêt de Paimpont,** s. Der Wald von Paimpont. **[Fragment d'une toile],** s. [Gemäldefragment]. **Die Frau des Maurers 345** (*La Femme du maçon*), 1958, Öl auf Leinwand, 35x41cm, Privatbesitz. **Die Freiheit des Geistes 271** (*La Liberté de l'esprit*), 1948, Öl auf Leinwand, 100x80cm, Musée des Beaux-Arts, Charleroi. **Der Fremdenführer 278** (*Le Cicérone*), 1948, Öl auf Leinwand, 60x50cm, Privatbesitz. **Der Freund der Ordnung 391** (*L'Ami de l'ordre*), 1964, Öl auf Leinwand, 100x81cm, Privatbesitz. **Die Frucht der Träume 50** (*Le Fruit des rêves*), 1927, Öl auf Leinwand, 73x54cm, Privatbesitz. **Le Fruit des rêves,** s. Die Frucht der Träume. **Die fügsame Leserin 75** (*La Lectrice soumise*), 1928, Öl auf Leinwand, 92x73cm, Privatbesitz. **Die fünfte Jahreszeit 221** (*La Cinquième Saison*), 1943, Öl auf Leinwand, 50x60cm, Musées Royaux des Beaux-Arts de Belgique, Brüssel, Legat Irène Scutenaire-Hamoir. **Le Galet,** s. Der Kiesel. **Le Galet,** s. Der Kiesel. **La Géante,** s. Die Riesin. **Der Gebrauch der Rede 91** (*L'Usage de la parole*), 1928, Öl auf Leinwand, 54x73cm, Sammlung Mis, Brüssel. **Der Gebrauch der Rede 111** (*L'Usage de la parole*), 1929, Öl auf Leinwand, 41x27cm, Musées Royaux des Beaux-Arts de Belgique, Brüssel. **Die Geburt des Idols 16** (*La Naissance de l'idole*), 1926, Öl auf Leinwand, 120x80cm, Sammlung Louise & Bernard Lamarre. **Das Gedächtnis 209** (*La Mémoire*), 1942, Öl auf Leinwand, 75,5x55,5cm, Verbleib unbekannt. **Das Gedächtnis 241** (*La Mémoire*), 1945, Öl auf Leinwand, 46x55cm, Privatbesitz. **Das Gedächtnis 272** (*La Mémoire*), 1948, Öl auf Leinwand, 60x50cm, Sammlung des belgischen Staates. **Der gefährliche Sprung 400** (*Le Saut périlleux*), 1964–1965, Öl auf Leinwand, 28x38cm, Privatbesitz. **Die gefährlichen Bande 170** *(Les Liaisons Dangereuses)*, 1936, Gouache auf Papier, 41,3x29cm, Privatbesitz. **Die Gefährten der Angst 213** *(Les Compagnons de la peur)*, 1942, Öl auf Leinwand, 70,5x92cm, Sammlung Brigitte & Véronique Salik. **Die Gegenwart 189** *(Le Présent)*, 1938–1939, Gouache auf Papier, 48,3x32,4cm, Privatbesitz. **Der geheime Doppelgänger 55** *(Le Double secret)*, 1927, Öl auf Leinwand, 114x162cm, Musée National d'Art Moderne, Centre Georges Pompidou, Paris. **Das geheime Leben 94** *(La Vie secrète)*, 1928, Öl auf Leinwand, 73x54cm, Kunsthaus Zürich, Vereinigung Zürcher Kunstfreunde. **Das geheime Leben 113** *(La Vie secrète)*, 1929, Öl auf Leinwand, 55x46cm, Kunsthaus Zürich, Vereinigung Zürcher Kunstfreunde. **Das Geheimnis der Wolken 47** *(Le Secret des nuages)*, 1927, Öl auf Leinwand, 54x73cm, Privatbesitz. **Das Geheimnis des Trauerzuges 51** *(Le Secret du cortège)*, 1927, Öl auf Leinwand, 73x100cm, Privatbesitz. **Der Geist der Geometrie 171** *(L'Esprit de géométrie)*, 1936–1937, Gouache auf Papier, 37,5x29,4cm, Trustees of the Tate Gallery, London. **Geistige Übungen 160** *(Exercices spirituels)*, 1936, Öl auf Leinwand, 60x73cm, Privatbesitz. **Das gelobte Land 259** *(La Terre promise)*, 1947, Öl auf Leinwand, 60x50cm, Jacob Bronka Weintraub, New York. **[Gemäldefragment] 245** *([Fragment d'une toile])*, 1945, Öl auf Leinwand, 51x38cm, Privatbesitz. **Gemaltes Objekt: Auge 173** *(Objet peint: œil)*, 1936–1937, Öl auf Holz in einer bemalten Holzkiste, Durchmesser: 15,3cm; 25,2x25,2x5,7cm, Timothy Baum, New York. **La Génération spontanée,** s. Die spontane Generation. **Georgette 175** *(Georgette)*, 1937, Öl auf Leinwand, 65x54cm, Musées Royaux des Beaux-Arts de Belgique, Brüssel, Legat Georgette Magritte. **Georgette,** s. Georgette. **Der Geschmack am Unsichtbaren 65** *(Le Goût de l'invisible)*, 1927, Öl auf Leinwand, 73x100cm, Privatbesitz. **Der Geschmack der Tränen 251** *(La Saveur des larmes)*, 1946, Gouache auf Papier, 51x37cm, Verbleib unbekannt. **Der Geschmack der Tränen 274** *(La Saveur des larmes)*, 1948, Öl auf Leinwand, 60x50cm, Musées Royaux des Beaux-Arts de Belgique, Brüssel. **Der Geschmack der Tränen 275** *(La Saveur des larmes)*, 1948, Öl auf Leinwand, 60x50cm, Trustees of the Barber Institute of Fine Arts, The University of Birmingham. **Der Geschmack der Tränen 287** *(La Saveur des larmes)*, 1949, Gouache auf Papier, 45,9x35,4cm, Privatbesitz. **Die Geschmeide 415** *(Les Pierreries)*, 1966, Öl auf Leinwand, 30x40cm, Privatbesitz. **Das Gesicht des Genies 34** *(Le Visage du génie)*, 1926–1927, Öl auf Leinwand, 75x65cm, Musée d'Ixelles, Brüssel. **Der gläserne Schlüssel 351** *(La Clef de verre)*, 1959, Öl auf Leinwand, 130x162cm, The Menil Collection, Houston. **Das Glashaus 188** *(La Maison de Verre)*, 1939, Gouache auf Papier, 35,5x40,5cm, Museum Boijmans Van Beuningen, Rotterdam. **Der glückliche Schenkende 411** *(L'Heureux Donateur)*, 1966, Öl auf Leinwand, 55,5x45,5cm, Musée d'Ixelles, Brüssel. **Der glückliche Zufall 239** *(La Bonne Fortune)*, 1945, Öl auf Leinwand, 60x80cm, Musées Royaux des Beaux-Arts de Belgique, Brüssel, Legat Irène Scutenaire-Hamoir. **Die Glut 246** *(Le Brasier)*, 1945–1946, Öl auf Leinwand, 60x80cm, Verbleib unbekannt. **Golconde,** s. Golkonda. **Die goldene Legende 348** *(La Légende dorée)*, 1958, Öl auf Leinwand, 97x130cm, Leslee & David Rogath. **Golkonda 318** *(Golconde)*, 1953, Öl auf Leinwand, 80,7x100,6cm, The Menil Collection, Houston. **Gott ist kein Heiliger 158** *(Dieu n'est pas un Saint)*, 1935–1936, Öl auf Leinwand, 67x43cm, Musées Royaux des Beaux-Arts de Belgique, Brüssel. **Le Gouffre argenté,** s. Die versilberte Kluft. **Le Goût de l'invisible,** s. Der Geschmack am Unsichtbaren. **Le Grand Matin,** s. Der späte Morgen. **Le Grand Siècle,** s. Das große Jahrhundert. **La Grande Famille,** s. Die große Familie. **La Grande Guerre,** s. Der Große Krieg. **La Grande Guerre,** s. Der Große Krieg. **La Grande Marée,** s. Die Springflut. **La Grande Nouvelle,** s. Die große Neuigkeit. **La Grande Table,** s. Der große Tisch. **Les Grands Rendez-vous,** s. Die großen Begegnungen. **Les Grands Voyages,** s. Die großen Reisen. **Die grenzenlose Anerkennung 385** *(La Reconnaissance infinie)*, 1963, Öl auf Leinwand, 81x100cm, Leslee & David Rogath. **Die große Familie 381** *(La*

Grande Famille), 1963, Öl auf Leinwand, 100 x 81 cm, Utsunomiya Museum of Art, Utsunomiya City, Tochigi. **Das große Jahrhundert 322** *(Le Grand Siècle)*, 1954, Öl auf Leinwand, 50 x 60 cm, Städtisches Museum, Gelsenkirchen. **Der Große Krieg 394** *(La Grande Guerre)*, 1964, Öl auf Leinwand, 81 x 60 cm, Privatbesitz. **Der Große Krieg 395** *(La Grande Guerre)*, 1964, Öl auf Leinwand, 65 x 54 cm, Privatbesitz. **Die große Neuigkeit 15** *(La Grande Nouvelle)*, 1926, Öl auf Leinwand, 62 x 81 cm, Privatbesitz. **Der große Tisch 379** *(La Grande Table)*, 1962–1963, Öl auf Leinwand, 54 x 65 cm, Sammlung Mis, Brüssel. **Die großen Begegnungen 263** *(Les Grands Rendez-vous)*, 1947, Öl auf Leinwand, 54 x 65 cm, Privatbesitz. **Die großen Reisen 25** *(Les Grands Voyages)*, 1926, Öl auf Leinwand, 65 x 150 cm, Privatbesitz. **Die grüne Nacht 83** *(La Nuit verte)*, 1928, Öl auf Leinwand, 54 x 73 cm, Privatbesitz. **Das gute Beispiel (Porträt von Alexander Iolas) 315** *(Le Bon exemple (portrait d'Alexandre Iolas))*, 1953, Öl auf Leinwand, 46 x 33 cm, Musée National d'Art Moderne, Centre Georges Pompidou, Paris. **Der gute Glaube 397** *(La Bonne Foi)*, 1964–1965, Öl auf Leinwand, 41 x 33 cm, Privatbesitz. **Les Habitantes du fleuve,** s. Die Flussbewohnerinnen. **Harry Torczyner oder Ein gerechtes Urteil wurde gefällt 340** *(Harry Torczyner ou Justice a été faite)*, 1958, Öl auf Leinwand, 40 x 30 cm, Belgian American Educational Foundation, Inc., Schenkung Harry Torczyner, untergebracht in den Musées Royaux des Beaux-Arts de Belgique, Brüssel. **Harry Torczyner ou Justice a été faite,** s. Harry Torczyner oder Ein gerechtes Urteil wurde gefällt. **Der heimliche Spieler 56** *(Le Joueur secret)*, 1927, Öl auf Leinwand, 152 x 195 cm, Musées Royaux des Beaux-Arts de Belgique, Brüssel. **Die Heimsuchung des Schlafes 33** *(L'Épreuve du sommeil)*, 1926–1927, Öl auf Leinwand, 64 x 75 cm, Museo Civico, Biella. **Heimweh 204** *(Le Mal du pays)*, 1941, Öl auf Leinwand, 100 x 81 cm, Privatbesitz. **Hellsehen 161** *(La Clairvoyance)*, 1936, Öl auf Leinwand, 54 x 65 cm, Privatbesitz. **Hellsehen 371** *(La Clairvoyance)*, 1962, Gouache auf Papier, 34,8 x 25,8 cm, Sammlung Brigitte & Véronique Salik. **Die Herbstprinzen 384** *(Les Princes de l'automne)*, 1963, Öl auf Leinwand, 100 x 81 cm, Foundation for Investment in Modern and Contemporary Art. **Der hereinbrechende Abend 392** *(Le Soir qui tombe)*, 1964, Öl auf Leinwand, 162 x 130 cm, The Menil Collection, Houston. **Die Herrschaft des Lichts 309** *(L'Empire des lumières)*, 1952, Öl auf Leinwand, 100 x 80 cm, Lois & Georges de Menil. **Die Herrschaft des Lichts 321** *(L'Empire des lumières)*, 1954, Öl auf Leinwand, 146 x 114 cm, Musées Royaux des Beaux-Arts de Belgique, Brüssel. **Die Herrschaft des Lichts 342** *(L'Empire des lumières)*, 1958, Öl auf Leinwand, 50 x 40 cm, Privatbesitz. **Die Herrschaft des Lichts 367** *(L'Empire des lumières)*, 1961, Öl auf Leinwand, 114 x 146 cm, Privatbesitz. **L'Heureux Donateur,** s. Der glückliche Schenkende. **Der Himmelsvogel 408** *(L'Oiseau de ciel)*, 1966, Öl auf Leinwand, 68,5 x 48 cm, Sammlung Sabena. **Die himmlischen Muskeln 57** *(Les Muscles célestes)*, 1927, Öl auf Leinwand, 54 x 73 cm, Sammlung Brigitte & Véronique Salik. **L'Histoire centrale,** s. Die zentrale Geschichte. **Das Hochzeitsmahl 193** *(Le Repas de noces)*, 1939–1940, Gouache auf Papier, 31 x 41,5 cm, Privatbesitz. **L'Homme au journal,** s. Der Mann mit der Zeitung. **L'Homme célèbre,** s. Der berühmte Mann. **L'Homme du large,** s. Der Mann des Meeres. **L'Homme et la fôret,** s. Der Mann und der Wald. **Homme-sirène pendu à un gibet,** s. Sirenen-Mann, an einem Galgen hängend. **Die Hungersnot 269** *(La Famine)*, 1948, Öl auf Leinwand, 46 x 55 cm, Musées Royaux des Beaux-Arts de Belgique, Brüssel, Legat Irène Scutenaire-Hamoir. **L'Idée fixe,** s. Die fixe Idee. **Die Ideen der Akrobatin 71** *(Les Idées de l'acrobate)*, 1928, Öl auf Leinwand, 116 x 81 cm, Bayerische Staatsgemäldesammlungen, Staatsgalerie Moderner Kunst, München. **Les Idées claires,** s. Die klaren Ideen. **Les Idées de l'acrobate,** s. Die Ideen der Akrobatin. **Das Idol 403** *(L'Idole)*, 1965, Öl auf Leinwand, 54 x 65 cm, Privatbesitz. **L'Idole,** s. Das Idol. **Il ne parle pas,** s. Er spricht nicht. **L'Île au trésor,** s. Die Schatzinsel. **L'Île au trésor,** s. Die Schatzinsel. **Die illustrierte Jugend 177** *(La Jeunesse illustrée)*, 1937, Öl auf Leinwand, 183 x 136 cm, Museum Boijmans Van Beuningen, Rotterdam. **Image à la**

maison verte, s. Bild mit grünem Haus. **In memoriam Mack Sennett 159** (*In Memoriam Mack Sennett*), 1936, Öl auf Leinwand, 73x54cm, Sammlung der Stadt de La Louvière. **In Memoriam Mack Sennett,** s. In memoriam Mack Sennett. **L'Incendie,** s. Die Feuersbrunst. **L'Inondation,** s. Die Überschwemmung. **Das insgeheime Einverständnis 402** (*La Connivence*), 1965, Öl auf Leinwand, 33x41cm, Privatbesitz. **L'Intelligence,** s. Die Intelligenz. **Die Intelligenz 249** (*L'Intelligence*), 1946, Öl auf Leinwand, 54x65cm, Musées Royaux des Beaux-Arts de Belgique, Brüssel, Legat Irène Scutenaire-Hamoir. **Der intime Freund 341** (*L'Ami intime*), 1958, Öl auf Leinwand, 73x65cm, Mr. & Mrs. Gilbert Kaplan, New York. **L'Invasion,** s. Die Invasion. **Die Invasion 182** (*L'Invasion*), 1938, Öl auf Leinwand, 73x54cm, Michael Pearson, Monte Carlo. **L'Invention collective,** s. Die kollektive Erfindung. **Irene oder Die verbotene Lektüre 162** (*Irène ou La Lecture défendue*), 1936, Öl auf Leinwand, 54x73cm, Musées Royaux des Beaux-Arts de Belgique, Brüssel, Legat Irène Scutenaire-Hamoir. **Irène ou La Lecture défendue,** s. Irene oder Die verbotene Lektüre. **Jeune fille mangeant un oiseau (Le plaisir),** s. Das vogelessende Mädchen (Das Vergnügen). **La Jeunesse illustrée,** s. Die illustrierte Jugend. **La Joconde,** s. Mona Lisa. **Le Joueur secret,** s. Der heimliche Spieler. **Der Jungbrunnen 346** (*La Fontaine de Jouvence*), 1958, Öl auf Leinwand, 97x130cm, Yokohama Museum of Art. **Jungfern aus Isle Adam 217** (*Mesdemoiselles de l'Isle Adam*), 1942, Öl auf Leinwand, 50x65cm, Privatbesitz. **Der Karneval des Weisen 260** (*Le Carnaval du sage*), 1947, Öl auf Leinwand, 65x50cm, Privatbesitz. **Das Katapult der Wüste 14** (*La Catapulte du désert*), 1926, Öl auf Leinwand, 75x65cm, Privatbesitz. **Der Kiesel 276** (*Le Galet*), 1948, Öl auf Leinwand, 100x81cm, Musées Royaux des Beaux-Arts de Belgique, Brüssel, Legat Georgette Magritte. **Der Kiesel 279** (*Le Galet*), 1948, Gouache auf Papier, 40,8x32,8cm, Musées Royaux des Beaux-Arts de Belgique, Brüssel, Legat Irène Scutenaire-Hamoir. **Die klaren Ideen 347** (*Les Idées claires*), 1958, Öl auf Leinwand, 50x60cm, Privatbesitz. **Die kollektive Erfindung 148** (*L'Invention collective*), 1935, Öl auf Leinwand, 73x116cm, Privatbesitz. **Die Komplizinnen des Magiers 23** (*Les Complices du magicien*), 1926, Öl auf Leinwand, 139x105cm, Privatbesitz. **Komposition am Strand 157** (*[Composition sur la plage]*), 1935, Öl auf Leinwand, 54x73cm, Privatbesitz. **Kopf 359** (*Tête*), 1960, Öl auf Gips, H: 25cm, Privatbesitz. **Der Korken des Entsetzens 409** (*Le Bouchon d'épouvante*), 1966, Öl auf Leinwand, 30x40cm, Privatbesitz. **Der Krepel 281** (*Le Stropiat*), 1948, Gouache, Bleistift und Goldfarbe auf Papier, 32,5x41cm, Privatbesitz. **Das Kristallbad 254** (*Le Bain de cristal*), 1946, Gouache auf Papier, 48,5x34cm, Privatbesitz. **Die Krümmung des Universums 292** (*La Courbure de l'univers*), 1950, Flasche, Öl auf Glas, h: 29cm, The Menil Collection, Houston. **Die Kultur der Ideen 60** (*La Culture des idées*), 1927, Öl auf Leinwand, 50x65cm, Privatbesitz. **Die Kunst der Konversation I 288** (*L'Art de la conversation I*), 1950, Öl auf Leinwand, 50x60cm, New Orleans Museum of Art, Schenkung William H. Alexander. **Die Kunst der Konversation III 289** (*L'Art de la conversation III*), 1950, Öl auf Leinwand, 50x65cm, Belgischer Staat, Musée des Beaux-Arts, Verviers. **Die Kunst der Konversation IV 290** (*L'Art de la conversation IV*), 1950, Öl auf Leinwand, 65x81cm, Privatbesitz. **Die Kunst der Konversation 370** (*L'Art de la conversation*), 1962, Öl auf Leinwand, 81x65cm, Privatbesitz. **Der Kuss 184** (*Le Baiser*), 1938, Öl auf Leinwand, 60x73cm, Musées Royaux des Beaux-Arts de Belgique, Brüssel, Legat Mme Hergé-Kieckens. **Das Lächeln 227** (*Le Sourire*), 1943, Öl auf Leinwand, 54x65cm, Musées Royaux des Beaux-Arts de Belgique, Brüssel, Legat Irène Scutenaire-Hamoir. **Das Lächeln 305** (*Le Sourire*), 1951, Öl auf Leinwand, 65x80cm, Privatbesitz. **La Lampe philosophique,** s. Die philosophische Lampe. **Land 35** (*Campagne*), 1927, Öl auf Leinwand, 73x54cm, Communauté française de Belgique. **Das Land der Wunder 396** (*Le Pays des miracles*), 1964–1965, Öl auf Leinwand, 55x46cm, Privatbesitz. **Landschaft 67** (*Paysage*), 1927, Öl auf Leinwand, 100x73cm, Privatbesitz. **Landschaft im Mondschein mit Male-**

rei 298 *(Paysage au clair de lune avec peinture)*, 1950, Flasche, Öl auf Glas, h: 30 cm, Privatbesitz. **Landschaft mit einem reitenden Mann 417** *(Paysage avec un homme à cheval)*, 1967, Öl auf Leinwand, 45 x 50 cm, Privatbesitz. **Der lebende Spiegel 96** *(Le Miroir vivant)*, 1928, Öl auf Leinwand, 54 x 73 cm, Privatbesitz. **Die Lebensart 268** *(L'Art de vivre)*, 1948, Gouache auf Papier, 57,2 x 74,1 cm, Musées Royaux des Beaux-Arts de Belgique, Brüssel, Legat Irène Scutenaire-Hamoir. **Die Lebensmüdigkeit 68** *(La Fatigue de vivre)*, 1927, Öl auf Leinwand, 73 x 100 cm, Privatbesitz. **La Lectrice soumise,** s. Die fügsame Leserin. **Die leere Maske 101** *(Le Masque vide)*, 1928, Chinatusche auf Papier, 32 x 46 cm, Sammlung Sylvio Perlstein, Antwerpen. **La Légende dorée,** s. Die goldene Legende. **Die Leiter des Feuers 143** *(L'Échelle du feu)*, 1934, Öl auf Leinwand, 54 x 73 cm, Klaus Groenke, Berlin. **Der letzte Schrei 416** *(Le Dernier Cri)*, 1967, Öl auf Leinwand, 81 x 65 cm, Privatbesitz. **Die letzten schönen Tage 199** *(Les Derniers Beaux Jours)*, 1940, Öl auf Leinwand, 81 x 100 cm, Sammlung Diane S.A. **Les Liaisons Dangereuses,** s. Die gefährlichen Bande. **La Liberté de l'esprit,** s. Die Freiheit des Geistes. **Das Licht des Zufalls 140** *(La Lumière des coïncidences)*, 1933, Öl auf Leinwand, 60 x 73 cm, Dallas Museum of Art, Schenkung Mr. & Mrs. Jake L. Hamon. **Der Lichtbrecher 52** *(Le Briselumière)*, 1927, Öl auf Leinwand, 50 x 65 cm, Privatbesitz. **Die Lichtung 231** *(La Clairière)*, 1944, Öl auf Leinwand, 54 x 81 cm, Privatbesitz. **Die Liebenden II 87** *(Les Amants II)*, 1928, Öl auf Leinwand, 54 x 73 cm, National Gallery of Australia, Canberra. **Die Liebenden III 88** *(Les Amants III)*, 1928, Öl auf Leinwand, 54 x 73 cm, Privatbesitz. **Die Liebenden IV 89** *(Les Amants IV)*, 1928, Öl auf Leinwand, 54 x 73 cm, Privatbesitz. **Die Liebenden 86** *(Les Amants)*, 1928, Öl auf Leinwand, 54 x 73 cm, Sammlung Richard S. Zeisler, New York. **Die Liebesaussicht 150** *(La Perspective amoureuse)*, 1935, Öl auf Leinwand, 116 x 81 cm, Verbleib unbekannt. **Die Liebesnacht 258** *(La Nuit d'amour)*, 1947, Öl auf Leinwand, 54 x 65 cm, Privatbesitz. **Der Liebestrank 303** *(Le Philtre)*, 1951, Öl auf Leinwand, 46 x 38 cm, New Orleans Museum of Art, Schenkung Muriel Bultman Francis. **Le Lieu-dit,** s. Der besagte Ort. **Lob der Dialektik 174** *(Éloge de la dialectique)*, 1937, Öl auf Leinwand, 65 x 54 cm, National Gallery of Victoria, Melbourne, Legat Felton. **Das Lob des Raumes 69** *(L'Éloge de l'espace)*, 1927–1928, Öl auf Leinwand, 81 x 116 cm, Privatbesitz. **Lola de Valence 283** *(Lola de Valence)*, 1948, Aquarell auf Papier, 46 x 37,6 cm, André Garitte Foundation, Antwerpen. **Lola de Valence 284** *(Lola de Valence)*, 1948, Öl auf Leinwand, 96 x 60 cm, Musées Royaux des Beaux-Arts de Belgique, Brüssel, Legat Irène Scutenaire-Hamoir. **Lola de Valence,** s. Lola de Valence. **Lola de Valence,** s. Lola de Valence. **La Lumière des coïncidences,** s. Das Licht des Zufalls. **La Lumière magique,** s. Das magische Licht. **La Lunette d'approche,** s. Das Fernglas. **Die Lyrik 261** *(Le Lyrisme)*, 1947, Öl auf Leinwand, 50 x 65 cm, Musées Royaux des Beaux-Arts de Belgique, Brüssel, Legat Irène Scutenaire-Hamoir. **Le Lyrisme,** s. Die Lyrik. **La Magie noire,** s. Die schwarze Magie. **La Magie noire,** s. Die schwarze Magie. **Das magische Licht 77** *(La Lumière magique)*, 1928, Öl auf Leinwand, 54 x 73 cm, Sammlung Leslee & David Rogath. **Der Magnet 235** *(L'Aimant)*, 1945, Öl auf Leinwand, 80 x 64,5 cm, Verbleib unbekannt. **La Maison de Verre,** s. Das Glashaus. **Le Maître du plaisir,** s. Der Meister der Vergnügungen. **Le Mal du pays,** s. Heimweh. **La Malédiction,** s. Der Fluch. **La Malédiction,** s. Der Fluch. **Der Mann des Meeres 62** *(L'Homme du large)*, 1927, Öl auf Leinwand, 139 x 105 cm, Musées Royaux des Beaux-Arts de Belgique, Brüssel. **Der Mann mit der Zeitung 103** *(L'Homme au journal)*, 1928, Öl auf Leinwand, 116 x 81 cm, Tate Gallery, London, Schenkung »The Friends of the Tate Gallery«. **Der Mann und der Wald 401** *(L'Homme et la fôret)*, 1965, Gouache auf Papier, 49 x 29 cm, Privatbesitz. **Der Märchenprinz 264** *(Le Prince charmant)*, 1947–1948, Gouache auf Papier, 37 x 46 cm, Privatbesitz. **Der Märchenprinz 280** *(Le Prince charmant)*, 1948, Gouache, Bleistift und Goldfarbe auf Papier, 45,8 x 32,7 cm, Musées Royaux des Beaux-Arts de Belgique, Brüssel, Legat Irène Scutenaire-Hamoir. **Les Marches de**

l'été, s. Die Stufen des Sommers. **Le Mariage de minuit,** s. Die Mitternachtshochzeit. **Die Marter der Vestalin** 53 (*Le Supplice de la vestale*), 1927, Öl auf Leinwand, 98x75cm, Privatbesitz. **Le Masque vide,** s. Die leere Maske. **La Méditation,** s. Die Meditation. **Die Meditation** 168 (*La Méditation*), 1936, Öl auf Leinwand, 50x65cm, Sammlung Mr. & Mrs. Gilbert Kaplan, New York. **Meereslandschaft mit Vogel** 363 (*Paysage marin avec oiseau*), 1961, Flasche, Öl auf Glas, H: 29cm, Privatbesitz. **Megalomanie** 369 (*La Folie des grandeurs*), 1962, Öl auf Leinwand, 100x81cm, The Menil Collection, Houston. **Megalomanie II** 270 (*La Folie des grandeurs II*), 1948, Öl auf Leinwand, 99,2x81,5cm, Hirshhorn Museum and Sculpture Garden, Smithsonian Institution, Washington, Schenkung Joseph H. Hirshhorn. **Der Meister der Vergnügungen** 20 (*Le Maître du plaisir*), 1926, Öl auf Leinwand, 65x80cm, Marlborough International Fine Art. **La Mémoire,** s. Das Gedächtnis. **La Mémoire,** s. Das Gedächtnis. **La Mémoire,** s. Das Gedächtnis. **Les Mémoires d'un saint,** s. Die Erinnerungen eines Heiligen. **Die Menschenfeinde** 214 (*Les Misanthropes*), 1942, Öl auf Leinwand, 54x73cm, Galerie Brusberg, Berlin & Galerie Zwirner, Köln. **Die Menschenfeinde** 328 (*Les Misanthropes*), 1955, Notenpapier und Gouache auf Papier, 36,3x46,8cm, Privatbesitz. **Die Menschenrechte** 265 (*Les Droits de l'homme*), 1947–1948, Öl auf Leinwand, 146x114cm, Privatbesitz. **Der Menschensohn** 390 (*Le Fils de l'homme*), 1964, Öl auf Leinwand, 116x89cm, Privatbesitz. **Les Merveilles de la nature,** s. Die Wunder der Natur. **Mesdemoiselles de l'Isle Adam,** s. Jungfern aus Isle Adam. **Le Miroir vivant,** s. Der lebende Spiegel. **Les Misanthropes,** s. Die Menschenfeinde. **Les Misanthropes,** s. Die Menschenfeinde. **Die Mitternachtshochzeit** 21 (*Le Mariage de minuit*), 1926, Öl auf Leinwand, 139x105cm, Musées Royaux des Beaux-Arts de Belgique, Brüssel. **Le Modèle rouge,** s. Das rote Modell. **Le Modèle rouge,** s. Das rote Modell. **La Moisson,** s. Die Ernte. **Moments musicaux,** s. Musikalische Momente. **Mona Lisa** 375 (*La Joconde*), 1962, Gouache auf Papier, 35,2x26,5cm, Patrimoine culturel de la Communauté française de Belgique. **Le Monde invisible,** s. Die unsichtbare Welt. **Le Monde perdu,** s. Die verlorene Welt. **Der mörderische Himmel** 61 (*Le Ciel meurtrier*), 1927, Öl auf Leinwand, 73x100cm, Musée National d'Art Moderne, Centre Georges Pompidou, Paris. **Le Mouvement perpétuel,** s. Die unendliche Bewegung. **Les Muscles célestes,** s. Die himmlischen Muskeln. **Le Musée d'une nuit,** s. Das Museum einer Nacht. **Le Musée du roi,** s. Das Museum des Königs. **Das Museum des Königs** 410 (*Le Musée du roi*), 1966, Öl auf Leinwand, 130x89cm, Yokohama Museum of Art. **Das Museum einer Nacht** 49 (*Le Musée d'une nuit*), 1927, Öl auf Leinwand, 50x65cm, Privatbesitz. **Musikalische Momente** 362 (*Moments musicaux*), 1961, Notenpapier, Aquarell und Conté-Bleistift auf Papier, 34,1x26cm, Privatbesitz. **Nach dem Wasser, die Wolken** 9 (*À la Suite de l'eau, les nuages*), 1926, Öl auf Leinwand, 120x80cm, Kunsthaus Zürich, Schenkung Walter Haefner. **Nächtlicher Himmel mit Vogel** 236 (*Ciel nocturne avec oiseau*), 1945, Flasche, Öl auf Glas, h: 30,7cm, Privatbesitz. **Der Nachtreigen** 190 (*La Ronde de nuit*), 1939, Öl auf Leinwand, 50x61cm, Verbleib unbekannt. **La Naissance de l'idole,** s. Die Geburt des Idols. **Die natürlichen Begegnungen** 244 (*Les Rencontres naturelles*), 1945, Öl auf Leinwand, 80x65cm, Musées Royaux des Beaux-Arts de Belgique, Brüssel, Legat Irène Scutenaire-Hamoir. **Die neuen Jahre** 216 (*Les Nouvelles Années*), 1942, Gouache auf Papier, 50x62cm, Privatbesitz. **Les Nouvelles Années,** s. Die neuen Jahre. **Nuages et grelots,** s. Wolken und Schellen. **La Nuit d'amour,** s. Die Liebesnacht. **La Nuit verte,** s. Die grüne Nacht. **Objet peint: œil,** s. Gemaltes Objekt: Auge. **Les Objets familiers,** s. Die vertrauten Objekte. **Ohne Titel** 31 (*Sans titre*), 1926, Notenpapier, Gouache und Aquarell auf Papier, 55x40cm, Privatbesitz. **Ohne Titel** 368 (*Sans titre*), 1961–1962, Notenpapier, Aquarell, Chinatusche und Bleistift auf Papier, 30,5x40,6cm, Sammlung Mr. & Mrs. Gilbert Kaplan, New York. **Ohne Titel** 414 (*Sans titre*), 1966, Papier, Photo, Kreide und Bleistift auf Papier, 29x41cm, Privatbesitz. **L'Oiseau de ciel,** s. Der

Himmelsvogel. **Olympia 285** *(Olympia)*, 1948, Öl auf Leinwand, 60x80cm, Privatbesitz. **Olympia,** s. Olympia. **L'Orient,** s. Der Orient. **Der Orient 201** *(L'Orient)*, 1941, Öl auf Leinwand, 81x65cm, Privatbesitz. **Les Origines du langage,** s. Die Ursprünge der Sprache. **La Page blanche,** s. Die unbeschriebene Seite. **Le Palais d'une courtisane,** s. Der Palast einer Kurtisane. **Le Palais de rideaux,** s. Der Palast aus Vorhängen. **Le Palais de rideaux,** s. Der Palast aus Vorhängen. **Le Palais de rideaux II,** s. Der Palast aus Vorhängen II. **Le Palais de rideaux III,** s. Der Palast aus Vorhängen III. **Der Palast aus Vorhängen II 90** *(Le Palais de rideaux II)*, 1928, Öl auf Leinwand, 73x54cm, Privatbesitz. **Der Palast aus Vorhängen III 107** *(Le Palais de rideaux III)*, 1928–1929, Öl auf Leinwand, 81,2x116,4cm, The Museum of Modern Art, New York, The Sidney and Harriet Janis Collection. **Der Palast aus Vorhängen 74** *(Le Palais de rideaux)*, 1928, Öl auf Leinwand, 81x116cm, Privatbesitz. **Der Palast aus Vorhängen 156** *(Le Palais de rideaux)*, 1935, Öl auf Leinwand, auf Karton gezogen, 27x41cm, P.&M. Alechinsky, Bougival. **Der Palast einer Kurtisane 95** *(Le Palais d'une courtisane)*, 1928, Öl auf Leinwand, 54x73cm, The Menil Collection, Houston. **Le Panorama,** s. Das Panorama. **Panorama populaire,** s. Das beliebte Panorama. **Das Panorama 133** *(Le Panorama)*, 1931, Öl auf Leinwand, 73x54cm, Verbleib unbekannt. **Les Pas perdus,** s. Die verlorenen Schritte. **Le Pays des miracles,** s. Das Land der Wunder. **Paysage,** s. Landschaft. **Paysage au clair de lune avec peinture,** s. Landschaft im Mondschein mit Malerei. **Paysage avec un homme à cheval,** s. Landschaft mit einem reitenden Mann. **Paysage marin avec oiseau,** s. Meereslandschaft mit Vogel. **Le Pèlerin,** s. Der Pilger. **La Perspective amoureuse,** s. Die Liebesaussicht. **Perspective: »Le Balcon« de Manet II,** s. Perspektive: »Der Balkon« von Manet II. **Perspective: »Madame Récamier« de David,** s. Perspektive: Mme Récamier von David. **Perspective: »Madame Récamier« de David,** s. Perspektive: Mme Récamier von David. **Perspektive: »Der Balkon« von Manet II 299** *(Perspective: Le Balcon de Manet II)*, 1950, Öl auf Leinwand, 80x60cm, S.M.A.K., Gent. **Perspektive: »Mme Récamier« von David 300** *(Perspective: Madame Récamier de David)*, 1950, Öl auf Leinwand, 60x80cm, Privatbesitz. **Perspektive: »Mme Récamier« von David 307** *(Perspective: Madame Récamier de David)*, 1951, Öl auf Leinwand, 60x80cm, National Gallery of Canada, Ottawa. **Die Pfeife 72** *(La Pipe)*, 1928, Öl auf Leinwand, 27x41cm, Privatbesitz. **[Pflanze mit Wort] 124** *([Plante avec mot])*, 1929, Öl auf Leinwand, auf Karton gezogen, 22x12cm, Privatbesitz. **Die philosophische Lampe 165** *(La Lampe philosophique)*, 1936, Öl auf Leinwand, 50x66cm, Privatbesitz. **Le Philtre,** s. Der Liebestrank. **Les Pierreries,** s. Die Geschmeide. **Der Pilger 413** *(Le Pèlerin)*, 1966, Öl auf Leinwand, 81x65cm, Privatbesitz. **La Pipe,** s. Die Pfeife. **Le Plagiat,** s. Das Plagiat. **Das Plagiat 198** *(Le Plagiat)*, 1940, Öl auf Leinwand, 54x65cm, Privatbesitz. **La Plaine de l'air,** s. Die Ebene der Luft. **Le Plaisir,** s. Das Vergnügen. **[Plante avec mot],** s. [Pflanze mit Wort]. **Le Poète récompensé,** s. Der belohnte Dichter. **Pom'po pom'po pom popom 286** *(Pom'po pom'po pon po pon pon)*, 1948, Gouache auf Papier, 32,8x45,9cm, Musées Royaux des Beaux-Arts de Belgique, Brüssel, Legat Irène Scutenaire-Hamoir. **Pom'po pom'po pon po pon pon,** s. Pom po pom po pom popom. **Le Portrait,** s. Das Bildnis. **Portrait d'Adrienne Crowet,** s. Porträt von Adrienne Crowet. **Portrait de E.L.T. Mesens,** s. Porträt von E.L.T. Mesens. **Portrait de Georgette Magritte,** s. Porträt von Georgette Magritte. **Portrait de Germaine Nellens,** s. Porträt von Germaine Nellens. **Portrait de la famille Giron,** s. Porträt der Familie Giron. **[Portrait de Paul Max],** s. [Portret von Paul Max]. **Portrait de Paul Nougé,** s. Porträt von Paul Nougé. **[Portrait de P.-G. Van Hecke],** s. [Porträt von P.-G. Van Hecke]. **Portrait de Stéphy Langui,** s. Porträt von Stéphy Langui. **Porträt der Familie Giron 228** *(Portrait de la famille Giron)*, 1943, Öl auf Leinwand, 60x92cm, Privatbesitz. **Porträt von Adrienne Crowet 200** *(Portrait d'Adrienne Crowet)*, 1940, Öl auf Leinwand, 54x65cm, Privatbesitz. **Porträt von E. L. T. Mesens 129** *(Portrait de E.L.T. Mesens)*, 1930, Öl auf Leinwand, 73x

54 cm, Privatbesitz. **Porträt von Georgette Magritte 29** *(Portrait de Georgette Magritte)*, 1926, Öl und Bleistift auf Leinwand, 55 x 45 cm, Musée National d'Art Moderne, Centre Georges Pompidou, Paris. **Porträt von Germaine Nellens 374** *(Portrait de Germaine Nellens)*, 1962, Gouache auf Papier, 35,7 x 24 cm, Privatbesitz. **[Porträt von Paul Max] 32** *([Portrait de Paul Max])*, 1926, Öl auf Leinwand, 75 x 65 cm, Kunsthandel Den Tijd, Antwerpen. **Porträt von Paul Nougé 54** *(Portrait de Paul Nougé)*, 1927, Öl auf Leinwand, 95 x 65 cm, Musées Royaux des Beaux-Arts de Belgique, Brüssel, Legat Irène Scutenaire-Hamoir. **[Porträt von P.-G. Van Hecke] 100** *([Portrait de P.-G. Van Hecke])*, 1928, Öl auf Leinwand, 65 x 50 cm, Privatbesitz. **Porträt von Stéphy Langui 366** *(Portrait de Stéphy Langui)*, 1961, Öl auf Leinwand, 50 x 60 cm, Privatbesitz. **Die Preisgabe 122** *(L'Abandon)*, 1929, Öl auf Leinwand, 54 x 73 cm, Privatbesitz. **Le Premier Jour,** s. Der erste Tag. **Le Présent,** s. Die Gegenwart. **Le Prêtre marié,** s. Der verheiratete Priester. **Le Prêtre marié,** s. Der verheiratete Priester. **Le Prince charmant,** s. Der Märchenprinz. **Le Prince charmant,** s. Der Märchenprinz. **Le Prince des objets,** s. Der Prinz der Objekte. **Les Princes de l'automme,** s. Die Herbstprinzen. **Der Prinz der Objekte 44** *(Le Prince des objets)*, 1927, Öl auf Leinwand, mit Leinwandcollage, 50 x 65 cm, Privatbesitz. **Profondeurs de la terre,** s. Die Tiefen der Erde. **Les Promenades d'Euclide,** s. Die Spaziergänge des Euklid. **Quand l'heure sonnera,** s. Wenn die Stunde schlägt. **La Raison pure,** s. Die reine Vernunft. **Raminagrobis 255** *(Raminagrobis)*, 1946, Gouache auf Papier, 40,7 x 59,2 cm, Privatbesitz. **Raminagrobis,** s. Raminagrobis. **Die rasche Hoffnung 85** *(L'Espoir rapide)*, 1928, Öl auf Leinwand, 49,5 x 64 cm, Kunsthalle, Hamburg. **La Recherche de l'absolu,** s. Die Suche nach dem Absoluten. **La Recherche de la vérité,** s. Die Suche nach der Wahrheit. **La Reconnaissance infinie,** s. Die grenzenlose Anerkennung. **La Reconnaissance infinie,** s. Die unendliche Anerkennung. **Les Reflets du temps,** s. Die Reflexe der Zeit. **Die Reflexe der Zeit 106** *(Les Reflets du temps)*, 1928, Öl auf Leinwand, 54 x 73 cm, Privatbesitz. **Les Regards perdus,** s. Die verlorenen Blicke. **Die reine Vernunft 273** *(La Raison pure)*, 1948, Öl auf Leinwand, 60 x 73 cm, Privatbesitz. **Die Reisesaison 64** *(La Saison des voyages)*, 1927, Öl auf Leinwand, 50 x 65 cm, Privatbesitz. **Reisesouvenir III 308** *(Souvenir de voyage III)*, 1951, Öl auf Leinwand, 80 x 65 cm, Privatbesitz. **Reisesouvenir 312** *(Souvenir de voyage)*, 1952, Gouache auf Papier, 14,3 x 19 cm, Privatbesitz. **Reisesouvenir 331** *(Souvenir de voyage)*, 1955, Öl auf Leinwand, 162 x 130 cm, The Museum of Modern Art, New York, Sammlung D. & J. de Menil. **Reisesouvenir 361** *(Souvenir de voyage)*, 1961, Gouache auf Papier, 34 x 26 cm, Sammlung Brigitte & Véronique Salik. **Die Reize der Landschaft 104** *(Les Charmes du paysage)*, 1928, Öl auf Leinwand, 54 x 73 cm, Privatbesitz. **Les Rencontres naturelles,** s. Die natürlichen Begegnungen. **Le Repas de noces,** s. Das Hochzeitsmahl. **La Réponse imprévue,** s. Die unerwartete Antwort. **Le Repos de l'acrobate,** s. Die Ruhepause der Akrobatin. **La Représentation,** s. Die Darstellung. **La Représentation,** s. Die Darstellung. **Le Retour,** s. Die Rückkehr. **Le Retour de flamme,** s. Die Rückkehr der Flamme. **Le Rêve,** s. Der Traum. **Rêve d'étudiant,** s. Studententraum. **Le Réveille-matin,** s. Der Wecker. **Les Rêveries du promeneur solitaire,** s. Die Träumereien eines einsamen Spaziergängers. **Die Riesin 166** *(La Géante)*, 1936, Gouache auf Papier, 30,5 x 38,5 cm, Privatbesitz. **La Ronde de nuit,** s. Der Nachtreigen. **Das rote Modell 154** *(Le Modèle rouge)*, 1935, Öl auf Leinwand, auf Holz gezogen, 60 x 45 cm, Musée National d'Art Moderne, Centre Georges Pompidou, Paris. **Das rote Modell 180** *(Le Modèle rouge)*, 1937, Öl auf Leinwand, 180 x 134 cm, Museum Boijmans Van Beuningen, Rotterdam. **Die Rückkehr 194** *(Le Retour)*, 1940, Öl auf Leinwand, 50 x 65 cm, Musées Royaux des Beaux-Arts de Belgique, Brüssel. **Die Rückkehr der Flamme 226** *(Le Retour de flamme)*, 1943, Öl auf Leinwand, Privatbesitz. **Der Ruf der Gipfel 206** *(L'Appel des cimes)*, 1942, Öl auf Leinwand, 65 x 54 cm, '21' International Holdings Inc., New York. **Die Ruhepause der Akrobatin 99** *(Le Repos de*

l'acrobate), 1928, Öl auf Leinwand, 54x73cm, Privatbesitz. **La Ruse symétrique,** s. Die symmetrische List. **La Saison des voyages,** s. Die Reisesaison. **Le Sang du monde,** s. Das Blut der Welt. **Sans titre,** s. Ohne Titel. **Sans titre,** s. Ohne Titel. **Sans titre,** s. Ohne Titel. **Saucisse casquée,** s. Wurst mit Helm. **Le Saut périlleux,** s. Der gefährliche Sprung. **La Saveur des larmes,** s. Der Geschmack der Tränen. **La Saveur des larmes,** s. Der Geschmack der Tränen. **La Saveur des larmes,** s. Der Geschmack der Tränen. **La Saveur des larmes,** s. Der Geschmack der Tränen. **Schach und Matt 10** *(Échec et mat)*, 1926, Aquarell, Tusche und Bleistift auf Papier, 39,2x29,4cm, Privatbesitz. **Die Schatzinsel 207** *(L'Île au trésor)*, 1942, Öl auf Leinwand, 60x81cm, Musées Royaux des Beaux-Arts de Belgique, Brüssel, Legat Georgette Magritte. **Die Schatzinsel 240** *(L'Île au trésor)*, 1945, Öl auf Leinwand, 60x80cm, Courtesy of Hildegard Fritz-Denneville Fine Arts Ltd., London. **Die Schlacht in den Argonnen 350** (La Bataille de l'Argonne), 1959, Öl auf Leinwand, 50x61cm, Privatbesitz. **Der Schlafwandler 262** *(Le Somnambule)*, 1947, Öl auf Leinwand, 54x65cm, Privatbesitz. **Das Schloss in den Pyrenäen 353** *(Le Château des Pyrénées)*, 1959, Öl auf Leinwand, 200,3x145cm, Israel Museum, Jerusalem, Schenkung Harry Torczyner, New York. **Der Schlüssel zur Freiheit 164** *(La Clef des champs)*, 1936, Öl auf Leinwand, 80x60cm, Fundación Colección Thyssen-Bornemisza, Madrid. **Der Schlüssel der Träume 128** *(La Clef des songes)*, 1930, Öl auf Leinwand, 81x60cm, Privatbesitz. **Die schöne Gesellschaft 406** *(La Belle Société)*, 1965–1966, Öl auf Leinwand, 81x65cm, Fundación Telefonica, Madrid. **Die schöne Idee 386** *(La Belle Idée)*, 1963–1964, Öl auf Leinwand, 45x55cm, Privatbesitz. **Das schöne Schiff 211** *(Le Beau navire)*, 1942, Öl auf Leinwand, 92x70cm, Privatbesitz. **Die schöne Welt 378** *(Le Beau Monde)*, 1962, Öl auf Leinwand, 100x81cm, Privatbesitz. **Schulschluss 40** *(La Sortie de l'école)*, 1927, Öl auf Leinwand, 73x100cm, Privatbesitz. **Die schwarze Fahne 179** *(Le Drapeau noir)*, 1937, Öl auf Leinwand, 54x73cm, Scottish National Gallery of Modern Art, Edinburgh. **Die schwarze Magie 208** *(La Magie noire)*, 1942, Öl auf Leinwand, 65x54cm, Privatbesitz. **Die schwarze Magie 238** *(La Magie noire)*, 1945, Öl auf Leinwand, 80x60cm, Musées Royaux des Beaux-Arts de Belgique, Brüssel, Legat Georgette Magritte. **Die Schwelle des Waldes 22** *(Le Seuil de la forêt)*, 1926, Öl auf Leinwand, 75x65cm, Privatbesitz. **Die schwierige Überfahrt 17** *(La Traversée difficile)*, 1926, Öl auf Leinwand, 80x65cm, Privatbesitz. **Die sechs Elemente 120** *(Les Six éléments)*, 1929, Öl auf Leinwand, 73x100cm, Philadelphia Museum of Art, The Louise and Walter Arensberg Collection. **Der sechzehnte September 335** *(Le Seize Septembre)*, 1956, Öl auf Leinwand, 60x50cm, Kunsthaus Zürich, Schenkung Walter Haefner. **Der sechzehnte September 336** *(Le Seize Septembre)*, 1956, Öl auf Leinwand, 116x89cm, Koninklijk Museum voor Schone Kunsten, Antwerpen. **Le Secret des nuages,** s. Das Geheimnis der Wolken. **Le Secret du cortège,** s. Das Geheimnis des Trauerzuges. **Le Séducteur,** s. Der Verführer. **Le Séducteur,** s. Der Verführer. **Le Séducteur,** s. Der Verführer. **Le Seize Septembre,** s. Der sechzehnte September. **Le Seize Septembre,** s. Der sechzehnte September. **Le Sens de la nuit,** s. Der Sinn der Nacht. **Le Sens propre,** s. Die wahre Bedeutung. **Le Sens propre,** s. Die wahre Bedeutung. **Le Sens propre II,** s. Die wahre Bedeutung II. **Le Sens propre IV,** s. Die wahre Bedeutung IV. **Le Sens propre V,** s. Die wahre Bedeutung V. **Le Sens propre VI,** s. Die wahre Bedeutung VI. **Die sensible Saite 355** *(La Corde sensible)*, 1960, Öl auf Leinwand, 114x146cm, Privatbesitz. **Le Seuil de la forêt,** s. Die Schwelle des Waldes. **Der Sieg 191** *(La Victoire)*, 1939, Öl auf Leinwand, 73x54cm, Privatbesitz. **Der Sinn der Nacht 66** *(Le Sens de la nuit)*, 1927, Öl auf Leinwand, 139x105cm, The Menil Collection, Houston. **Sirenen-Mann, an einem Galgen hängend 247** *(Homme-sirène pendu à un gibet)*, 1946, Gouache und Bleistift auf Papier, 41,5x32,4cm, Musées Royaux des Beaux-Arts de Belgique, Brüssel, Legat Irène Scutenaire-Hamoir. **Les Six éléments,** s. Die sechs Elemente. **So lebt der Mensch 139** *(La Condition humaine)*, 1933, Öl auf Leinwand, 100x81cm, National Gallery of Art, Washington, Schenkung »Collectors Committee«. **So lebt der Mensch 149** *(La Condition humaine)*, 1935, Öl auf Leinwand, 100x73cm, Privatbesitz. **Soir d'orage 256** *(Soir d'orage)*, 1946, Gouache auf Papier, 34x25cm, Privatbesitz. **Soir d'orage,** s. Soir d'orage. **Le Soir qui tombe,** s. Der hereinbrechende Abend. **Le Somnambule,** s. Der Schlafwandler. **La Sortie de l'école,** s. Schulschluss. **Le Sourire,** s. Das Lächeln. **Le Sourire,** s. Das Lächeln. **Souvenir de voyage,** s. Reisesouvenir. **Souvenir de voyage,** s. Reisesouvenir. **Souvenir de voyage,** s. Reisesouvenir. **Souvenir de voyage III,** s. Reisesouvenir III. **Der Späher 105** *(L'Espion)*, 1928, Öl auf Leinwand, 54x73cm, Privatbesitz. **Der späte Morgen 210** *(Le Grand Matin)*, 1942, Gouache auf Papier, 56x37,7cm, Privatbesitz. **Die Spaziergänge des Euklid 330** *(Les Promenades d'Euclide)*, 1955, Öl auf Leinwand, 162x130cm, The Minneapolis Institute of Arts, The William Hood Dunwoody Fund. **Die spontane Generation 176** *(La Génération spontanée)*, 1937, Öl auf Leinwand, 54x73cm, Privatbesitz. **Die Springflut 302** *(La Grande Marée)*, 1951, Öl auf Leinwand, 65x80cm, Privatbesitz. **Der Stachel 218** *(L'Aiguillon)*, 1943, Öl auf Leinwand, 65x50cm, George Evens, Antwerpen. **La Statue volante,** s. Die fliegende Statue. **Die Stimme der Lüfte 132** *(La Voix des airs)*, 1931, Öl auf Leinwand, 73x54cm, Peggy Guggenheim Collection, The Solomon R.Guggenheim Foundation, Venedig. **Die Stimme der Stille 97** *(La Voix du silence)*, 1928, Öl auf Leinwand, 54x73cm, Sammlung Artemis Group. **Die Stimme des Blutes 277** *(La Voix du sang)*, 1948, Öl auf Leinwand, 50x60cm, Privatbesitz. **Die Stimme des Blutes 325** *(La Voix du sang)*, 1955, Gouache auf Papier, 26x33,7cm, Privatbesitz. **Die Stimme des Blutes 352** *(La Voix du sang)*, 1959, Öl auf Leinwand, 116x89cm, Museum Moderner Kunst, Stiftung Ludwig, Wien. **Der Stoß ins Herz 311** *(Le Coup au cœur)*, 1952, Öl auf Leinwand, 46x38cm, Sammlung Richard S.Zeisler, New York. **Le Stropiat,** s. Der Krepel. **Studententraum 30** *(Rêve d'étudiant)*, 1926, Öl, Ripolin und Bleistift auf Leinwand, 80x70cm, Privatbesitz. **Studie zu »Les Chants de Maldoror« 234** *(Étude pour Les Chants de Maldoror)*, 1945, Bleistift auf Papier, 25x18cm, The Menil Collection, Houston. **Die Stufen des Sommers 187** *(Les Marches de l'été)*, 1938–1939, Öl auf Leinwand, 60x73cm, Musée National d'Art Moderne, Centre Georges Pompidou, Paris. **Der Sturm 137** *(La Tempête)*, 1932, Gouache auf Papier, 44x55cm, Privatbesitz. **Die Suche nach dem Absoluten 197** *(La Recherche de l'absolu)*, 1940, Öl auf Leinwand, 60x73cm, Ministère de la Communauté française de Belgique, Brüssel. **Die Suche nach der Wahrheit 380** *(La Recherche de la vérité)*, 1963, Öl auf Leinwand, 130x97cm, Musées Royaux des Beaux-Arts de Belgique, Brüssel. **Le Supplice de la vestale,** s. Die Marter der Vestalin. **Le Survivant,** s. Der Überlebende. **Suzanne Spaak 169** *(Suzanne Spaak)*, 1936, Öl auf Leinwand, 60x81cm, Sammlung Mme Louise M.Bennani-Spaak. **Suzanne Spaak,** s. Suzanne Spaak. **Die symmetrische List 79** *(La Ruse symétrique)*, 1928, Öl auf Leinwand, 54x73cm, Privatbesitz. **La Table, l'océan et le fruit,** s. Der Tisch, der Ozean und die Frucht. **La Tapisserie de Pénélope,** s. Der Teppich der Penelope. **Le Témoin,** s. Der Zeuge. **La Tempête,** s. Der Sturm. **Le Temps menaçant,** s. Das drohende Wetter. **Tentative de l'impossible,** s. Versuch des Unmöglichen. **Der Teppich der Penelope 223** *(La Tapisserie de Pénélope)*, 1943, Gouache auf Papier, 39,5x57cm, Verbleib unbekannt. **La Terre promise,** s. Das gelobte Land. **Le Territoire,** s. Das Territorium. **Das Territorium 339** *(Le Territoire)*, 1957, Öl auf Leinwand, 75x120cm, Privatbesitz. **Tête,** s. Kopf. **Die teure Wahrheit 407** *(L'Aimable vérité)*, 1966, Öl auf Leinwand, 89x130cm, The Menil Collection, Houston. **Der Therapeut 167** *(Le Thérapeute)*, 1936, Gouache auf Papier, 47,6x31,3cm, Privatbesitz. **Der Therapeut 377** *(Le Thérapeute)*, 1962, Gouache auf Papier, 35,5x27,5cm, Sammlung Brigitte & Véronique Salik. **Le Thérapeute,** s. Der Therapeut. **Le Thérapeute,** s. Der Therapeut. **Die tiefen Wasser 205** *(Les Eaux profondes)*, 1941, Öl auf Leinwand, 65x50cm, Sammlung Shirley C.Wozencraft. **Die Tiefen der Erde 130** *(Profondeurs de la terre)*, 1930, Öl auf Leinwand

(4 gerahmte Leinwände, auf Glas gezogen), 12 x 22; 16 x 22; 22 x 16; 19 x 24 cm, Privatbesitz. **Der Tisch, der Ozean und die Frucht 46** (*La Table, l'océan et le fruit*), 1927, Öl auf Leinwand, 50 x 65 cm, Privatbesitz. **La Tour d'ivoire,** s. Der Elfenbeinturm. **La Trahison des images,** s. Der Verrat der Bilder. **La Trahison des images,** s. Der Verrat der Bilder. **Le Trait d'union,** s. Der Bindestrich. **Der Traum 243** (*Le Rêve*), 1945, Öl auf Leinwand, 83 x 69 cm, Privatbesitz. **Die Träumereien eines einsamen Spaziergängers 27** (*Les Rêveries du promeneur solitaire*), 1926, Öl auf Leinwand, 139 x 105 cm, Privatbesitz. **La Traversée difficile,** s. Die schwierige Überfahrt. **Der Überlebende 296** (*Le Survivant*), 1950, Öl auf Leinwand, 80 x 60 cm, The Menil Collection, Houston. **Die Überschwemmung 98** (*L'Inondation*), 1928, Öl auf Leinwand, 73 x 54 cm, Dexia, Brüssel. **Die unbeschriebene Seite 418** (*La Page blanche*), 1967, Öl auf Leinwand, 54 x 65 cm, Musées Royaux des Beaux-Arts de Belgique, Brüssel, Legat Georgette Magritte. **Die unendliche Anerkennung 250** (*La Reconnaissance infinie*), 1946, Gouache auf Papier, 58 x 39,6 cm, Patrimoine culturel de la Communauté française de Belgique. **Die unendliche Bewegung 153** (*Le Mouvement perpétuel*), 1935, Öl auf Leinwand, 54 x 73 cm, Privatbesitz. **Die Unentschiedenheit 293** (*La Valse hésitation*), 1950, Öl auf Leinwand, 35 x 46 cm, Leslee & David Rogath. **Die unerwartete Antwort 141** (*La Réponse imprévue*), 1933, Öl auf Leinwand, 81 x 54 cm, Musées Royaux des Beaux-Arts de Belgique, Brüssel. **L'Univers démasqué,** s. Das demaskierte Universum. **L'Univers interdit,** s. Das verbotene Universum. **Die unsichtbare Welt 323** (*Le Monde invisible*), 1954, Öl auf Leinwand, 195 x 130 cm, The Menil Collection, Houston. **Die unwissende Fee oder Bildnis von Anne-Marie Crowet 332** (*La Fée ignorante ou Portrait de Anne-Marie Crowet*), 1956, Öl auf Leinwand, 50 x 65 cm, Privatbesitz. **Die Ursprünge der Sprache 327** (*Les Origines du langage*), 1955, Öl auf Leinwand, 116 x 89 cm, The Menil Collection, Houston. **L'Usage de la parole,** s. Der Gebrauch der Rede. **L'Usage de la parole,** s. Der Gebrauch der Rede. **La Valse hésitation,** s. Die Unentschiedenheit. **Die verborgene Frau 112** (*La Femme cachée*), 1929, Öl auf Leinwand, 73 x 54 cm, Privatbesitz. **Das verbotene Universum 220** (*L'Univers interdit*), 1943, Öl auf Leinwand, 60 x 81 cm, Musée d'art moderne, Lüttich. **Der Verführer 295** (*Le Séducteur*), 1950, Öl auf Leinwand, 48,2 x 58,4 cm, Virginia Museum of Fine Arts, Richmond, Collection Mr. & Mrs. Paul Mellon. **Der Verführer 304** (*Le Séducteur*), 1951, Öl auf Leinwand, 50 x 60 cm, Privatbesitz. **Der Verführer 317** (*Le Séducteur*), 1953, Öl auf Leinwand, 38 x 46 cm, Privatbesitz. **Die Vergewaltigung 144** (*Le Viol*), 1934, Öl auf Leinwand, 73 x 54 cm, The Menil Collection, Houston. **Die Vergewaltigung 282** (*Le Viol*), 1948, Gouache auf Papier, 17,2 x 14,4 cm, Privatbesitz. **Das Vergnügen 252** (*Le Plaisir*), 1946, Gouache auf Papier, 36 x 49,5 cm, Privatbesitz. **Der verheiratete Priester 357** (*Le Prêtre marié*), 1960, Öl auf Leinwand, 46 x 55 cm, Privatbesitz. **Der verheiratete Priester 412** (*Le Prêtre marié*), 1966, Gouache auf Papier, 28,8 x 41 cm, Privatbesitz. **Die Verkündigung 126** (*L'Annonciation*), 1930, Öl auf Leinwand, 114 x 146 cm, Trustees of the Tate Gallery, London. **Die verlorene Welt 73** (*Le Monde perdu*), 1928, Öl auf Leinwand, 54,5 x 73,5 cm, Kunstmuseum Winterthur, Erwerbung des Kunstfonds. **Die verlorenen Blicke 70** (*Les Regards perdus*), 1927–1928, Öl auf Leinwand, 50 x 65 cm, Privatbesitz. **Die verlorenen Schritte 297** (*Les Pas perdus*), 1950, Öl auf Leinwand, 55 x 46 cm, Sammlung des Akron Art Museum, Akron (Ohio). **Der Verrat der Bilder 152** (*La Trahison des images*), 1935, Öl auf Leinwand, 27 x 41 cm, Privatbesitz. **Der Verrat der Bilder 314** (*La Trahison des images*), 1952–1953, Gouache auf Papier, 14 x 16,5 cm, Verbleib unbekannt. **Die versilberte Kluft 19** (*Le Gouffre argenté*), 1926, Öl auf Leinwand, 75 x 65 cm, Privatbesitz. **Versuch des Unmöglichen 82** (*Tentative de l'impossible*), 1928, Öl auf Leinwand, 116 x 81 cm, Toyota Municipal Museum of Art, Toyota-shi. **Die vertrauten Objekte 76** (*Les Objets familiers*), 1928, Öl auf Leinwand, 81 x 116 cm, Privatbesitz. **Die verzauberte Domäne 316** (*Le Domaine enchanté*), 1953, Gouache auf Papier, 12,5 x 24,5 cm, Privatbesitz. **La Victoire,** s. Der Sieg. **La Vie antérieure,** s. Das Vorleben. **La Vie**

secrète, s. Das geheime Leben. **La Vie secrète,** s. Das geheime Leben. **Le Viol,** s. Die Vergewaltigung. **Le Viol,** s. Die Vergewaltigung. **Le Visage du génie,** s. Das Gesicht des Genies. **Das vogelessende Mädchen (Das Vergnügen) 38** *(Jeune fille mangeant un oiseau (Le plaisir)),* 1927, Öl auf Leinwand, 74x97cm, Kunstsammlung Nordrhein-Westfalen, Düsseldorf. **La Voix des airs,** s. Die Stimme der Lüfte. **La Voix du sang,** s. Die Stimme des Blutes. **La Voix du silence,** s. Die Stimme der Stille. **La Voleuse,** s. Die Diebin. **Vom Glück der Bilder oder Die Freundschaft 224** *(Le Bonheur des images ou L'amitié),* 1943, Öl auf Leinwand, 130x97cm, Alessandro Zodo, Mailand. **Das Vorleben 232** *(La Vie antérieure),* 1944, Öl auf Leinwand, 60x81cm, Verbleib unbekannt. **Die Wahlverwandtschaften 142** *(Les Affinités électives),* 1933, Öl auf Leinwand, 41x33cm, Privatbesitz. **Die wahre Bedeutung II 115** *(Le Sens propre II),* 1929, Öl auf Leinwand, 73x54cm, The Menil Collection, Houston. **Die wahre Bedeutung IV 116** *(Le Sens propre IV),* 1929, Öl auf Leinwand, 73x54cm, Sammlung Robert Rauschenberg. **Die wahre Bedeutung V 117** *(Le Sens propre V),* 1929, Öl auf Leinwand, 73x54cm, Privatbesitz. **Die wahre Bedeutung VI 118** *(Le Sens propre VI),* 1929, Öl auf Leinwand, 54x73cm, Privatbesitz. **Die wahre Bedeutung 360** *(Le Sens propre),* 1961, Papier und Gouache auf Papier, 19x25cm, Privatbesitz. **Die wahre Bedeutung 382** *(Le Sens propre),* 1963, Gouache auf Papier, 21,5x29,3cm, Sammlung Harry Torczyner, New York. **Der Wald von Paimpont 388** *(La Forêt de Paimpont),* 1964, Öl auf Leinwand, 46x55cm, Privatbesitz. **Der Wald 42** *(La Forêt),* 1927, Öl auf Leinwand, 100x73cm, Musée de l'Art Wallon de la Ville de Liège. **Der Wasserfall 364** *(La Cascade),* 1961, Öl auf Leinwand, 81x100cm, Privatbesitz. **Der Wekker 338** *(Le Réveille-matin),* 1957, Öl auf Leinwand, 50x60cm, Privatbesitz. **Die wehrlose Liebe 146** *(L'Amour désarmé),* 1935, Öl auf Leinwand, 72x54cm, Privatbesitz. **Wenn die Stunde schlägt 398** *(Quand l'heure sonnera),* 1964–1965, Öl auf Leinwand, 100x81cm, Sammlung Brigitte & Véronique Salik. **Der Wergstöpsel 257** *(L'Etoupillon),* 1947, Öl auf Leinwand, 72x50cm, Privatbesitz. **Die Windstille 202** *(L'Embellie),* 1941, Öl auf Leinwand, 65x100cm, Privatbesitz. **Wolken und Schellen 306** *(Nuages et grelots),* 1951, Öl auf Leinwand, diam.: 74cm, Privatbesitz. **Die Wunder der Natur 320** *(Les Merveilles de la nature),* 1953, Öl auf Leinwand, 77,5x98,1cm, Museum of Contemporary Art, Chicago, Schenkung Joseph Jory Shapiro. **Die Wunderblume 138** *(La Belle de nuit),* 1932, Öl auf Leinwand, 81x116cm, Privatbesitz. **[Die Wundmale der Erinnerung] 59** *([Les Cicatrices de la mémoire]),* 1927, Öl und Bleistift auf Leinwand, 73x54cm, Verbleib unbekannt. **Wurst mit Helm 121** *(Saucisse casquée),* 1929, Öl auf Leinwand, 55x46cm, Dalvyn Gallery, New York. **Das Zeitalter der Lust 248** *(L'Âge du plaisir),* 1946, Öl auf Leinwand, 80x60cm, Privatbesitz. **Das Zeitalter der Wunder 12** *(L'Âge des merveilles),* 1926, Öl auf Leinwand, 120x80cm, Privatbesitz. **Das Zeitalter des Feuers 39** *(L'Âge du feu),* 1927, Öl auf Leinwand, 73x100cm, Privatbesitz. **Die zentrale Geschichte 78** *(L'Histoire centrale),* 1928, Öl auf Leinwand, 116x81cm, Privatbesitz. **Der Zeuge 192** *(Le Témoin),* 1939, Gouache auf Papier, 42x29cm, Privatbesitz. **Das Zimmer des Lauschens 343** *(La Chambre d'écoute),* 1958, Öl auf Leinwand, 38x46cm, Privatbesitz. **Das Zimmer des Lauschens 344** *(La Chambre d'écoute),* 1958, Öl auf Leinwand, 38x46cm, Kunsthaus Zürich, Schenkung Walter Haefner. **Der Zorn der Götter 354** *(La Colère des dieux),* 1960, Öl auf Leinwand, 61x50cm, Gunter Sachs. **Die Zukumft 186** *(La Bonne Aventure),* 1938–1939, Gouache auf Papier, 36x41,5cm, Verbleib unbekannt. **Die Zukunft der Statuen 135** *(L'Avenir des statues),* 1932, Öl auf Gips, h: 32cm, Wilhelm Lehmbruck Museum, Duisburg. **Zwischenspiel 37** *(Entr'acte),* 1927, Öl auf Leinwand, 114x162cm, Privatbesitz.

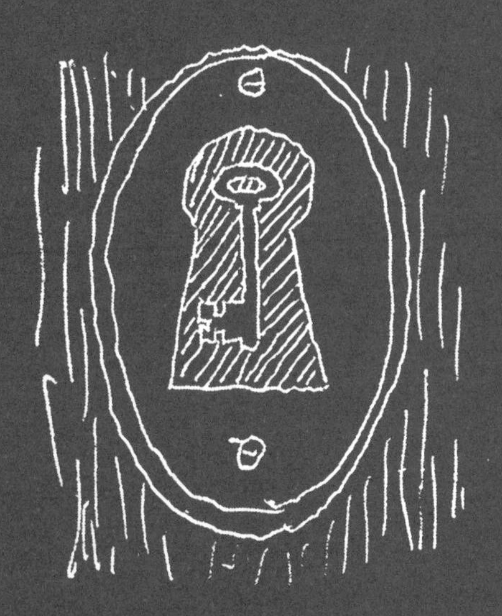